María del **Mar Castro** Maestre

NETiqueta

Comunicación en Entornos Digitales

NG EDICIÓNS

Edita

NOVA GALICIA EDICIÓNS, S.L.
Avda. Ricardo Mella, 143 Nave 3
36330 – Vigo (España)
Tel. +34 986 462 111   Fax. +34 986 462 118
www.novagalicia.com
e-mail: novagalicia@novagalicia.com

© Nova Galicia Edicións, S.L.
© Carlos del Pulgar Sabín
© Texto: María del Mar Castro Maestre

Depósito legal: VG 384-2016

ISBN volumen: 978-84-944321-2-5

Infografía: Nova Galicia Edicións

Traducción y revisión lingüística: Nova Galicia Edicións

Prólogo

Te sigo, me sigues, somos 'amigos' en Facebook, te pongo un 'me gusta' en Instagram...

Sí, así está la cosa. El 'panorama' ha cambiado y nuevos actores han irrumpido en nuestras vidas y trabajos.

A ver, que levante la mano quien no tenga un perfil en una Red Social. ¿Ves? Lo que me temía. Nadie ha levantado la mano. Bueno sí, veo una mano al fondo, pero seguramente sea la de una tal 'excepción que confirma la regla'.

El caso es que, como os decía, estos nuevos canales de comunicación han llegado para quedarse. Llegarán nuevos, desaparecerán otros... pero aquí están y estarán. Accedemos a ellos desde el ordenador, tablet y móvil a diario, más de una vez y sumando, rondamos las dos horas y media. Creamos contenido, compartimos o simplemente 'marujeamos'. Pero ahí estamos.

Pero ¿cómo comportarse? ¿Cómo y qué responder? ¿Un RT en Twitter es suficiente? ¿Añado mejor un 'me gusta'? ¿Comento la publicación? ¿Cómo evitar un malentendido?

Siempre ha habido unas normas no escritas que eran un reflejo directamente proporcional a nuestro grado de educación y cortesía fuera de la red. Pero, el 2.0. va a más y todos debemos poner orden en forma de 'Netiqueta'.

¿La idea? Crear una hoja de ruta sobre nuestro comportamiento online. Dejar claro lo fundamental del respeto hacia el otro, el tener una actitud constructiva, amable y que aporte valor hacia la comunidad.

¿Sólo Redes Sociales? No, la 'Netiqueta' está presente en toda nuestra 'vida digital': WhatsApp y otros servicios de mensajería, Blogs, Foros, Chats, eMails...

Y con este libro que tienes en tus manos, tienes la mejor de las guías para no perderte. No importa que seas un 'simple' usuario, un padre o madre preocupado por sus hijos 'conectados', o un docente que quiere saber cómo guiar a sus alumnos... es para todos y por el bien de todos.

Mar, paisana de nacimiento, colega de profesión y vecina en lo digital, aporta conocimiento, experiencia y Pasión en esta fantástica publicación.

Una visión íntegra e integral de este mundo. Un mundo muy grande, a veces abstracto, en el que resulta fácil despistarse y perderse.

Fácil de leer, sencillo de comprender y de inmediata puesta en marcha. Solo has de querer ponerte a ello.

Mar lo transmite sin caer en tecnicismos incomprensibles, sin 'palabros'. No deja nada al azar, fruto de años y años de experiencia. Se ve que quiere que no tengamos dudas y nos pongamos manos a la obra.

La Pasión por la Comunicación y el Protocolo pasa una agradable factura en este libro. No hay duda.

Y de lo que tampoco hay ninguna duda es de que, te guste o no, tu rastro digital y lo que de ti se dice en Internet... te define. Porque no podrás alterar tu reputación online, pero sí influir en ella.

Así que... ¿a qué esperas para pasar esta página y ponerte a leer?

José Luis Casal Castro
@jlcasal

A Carla y Maria MQNEEM

Índice

Índice

María del **Mar Castro** Maestre

NETiqueta

Comunicación en Entornos Digitales

NG EDICIÓNS

INTRODUCCIÓN

Existimos en torno a las palabras. La palabra legitima los pensamientos, conforma las percepciones, promueve la reflexión, transmite las experiencias y la cultura, modifica las perspectivas, configura sociedades humanas y genera influencia en el proceder de los seres humanos, promoviendo el contacto personal y las relaciones sociales. Octavio Paz reconoció que "el hombre es un ser de palabras".

El filósofo inglés John Locke[1] afirmó que cuando venimos al mundo somos como un *gabinete vacío*, personas con una mente virgen en contenido. La educación y el proceso de socialización proporcionarán los conocimientos que irán llenando las mentes de cada ser humano.

Numerosas ciencias tienen como referencia descifrar los mecanismos de la comunicación humana: pragmática, análisis del discurso, antropología lin-

güística, etnología de la comunicación, sociolingüística, psicología social, etc. Encuestas, censos, historias reales, genealogías, entrevistas, filmaciones, grabaciones de video y audio y toma de notas son diferentes métodos que los antropólogos culturales utilizan para conocer las pautas conductuales de las distintas sociedades.

Aristóteles defendió que el ser humano es social, vive en familias, clanes, grupos y manadas llamadas aldeas, pueblos, ciudades o naciones, y siente la necesidad de juntarse con otros semejantes para poder realizarse como persona. George Burton Adams[2] alude a la influencia que los seres humanos ejercen entre sí: "El hombre "hecho a sí mismo" no existe. Estamos hechos de miles de otros".

El respeto, la prudencia, la humildad, la tolerancia, la amabilidad, la naturalidad y el sentido del humor son las bases sobre las que se asientan las relaciones personales. Relaciones que se acomodan a la realidad social imperante en cada momento y a los condicionantes propios de cada situación concreta.

La naturaleza, el tiempo, la historia, la racionalidad y la sociedad, en última instancia, son los elementos que han ejercido influencia en los comportamientos humanos y ratifican los hábitos corteses.

El comportamiento revela pensamientos, deseos, valores, objetivos,

1- John Locke (1632-1704). Fundador del empirismo moderno filosófico y primer teórico del liberalismo.

2- George Burton Adams (1851-1925), historiador medieval, profesor de la Universidad de Yale.

9

intereses, etc. y afecta a las personas con las que se mantiene relaciones de cualquier índole. Los usos de la buena educación no se imponen, se aceptan porque facilitan la vida.

Disfrutar del trato con los demás, sellar confianzas y consolidar relaciones se logra ofreciendo una conducta segura, natural y juiciosa. Cada cultura y contexto social definen y establecen los valores que sirven de guía para el comportamiento ante los demás y justificación de sus acciones.

Uno de los escenarios fundamentales donde se produce la socialización de los sujetos del siglo XXI es Internet. Las nuevas tecnologías han alcanzado un elevado grado de penetración en la vida de las personas, contribuyendo a reforzar su identidad -perfectamente definida en el mundo físico pero demandante de visibilidad en un entorno virtual- y a ampliar su presencia social, incrementando la capacidad de comunicación e interrelación de los seres humanos, el acceso a la información y a la cultura, y la generación de nuevos proyectos sociales y profesionales.

Su avance imparable ha provocado que las personas pasen conectadas veinticuatro horas al día o estén localizadas de forma permanente, por lo que el contacto entre los sujetos es continuo, compartiendo experiencias, información o conocimiento. El acceso de las personas a Internet convierte a éste en un espacio social, donde la conversación prima y los flujos de información han adoptado nuevos modelos. La naturaleza de la comunicación en Internet es interactiva.

Internet ha generado espacios para el diálogo y la interacción humanas de tamaños ilimitados. Lugares en los que se hacen declaraciones, se formulan propuestas, se realizan promesas, se orientan conversaciones, se desarrollan iniciativas, nacen proyectos y se crean necesidades. Espacios que promueven la acción y generan valor para todos los participantes.

El avance e integración de Internet en la vida de los sujetos digitales ha provocado que el proceso de comunicación sea *multimodal* y *multimediático*. La comunicación interpersonal se produce a través de múltiples formas y variados artilugios transmitiendo la información mediante textos, imágenes, sonidos o una combinación de ambos.

Las redes sociales son comunidades de personas que se relacionan en un entorno virtual, con mayores posibilidades de notoriedad cuanto más cercanos sean los intereses comunes de sus integrantes. Su popularización en la vida cotidiana de las personas ha creado nuevas dinámicas sociales. La participación es la cualidad fundamental que define la pertenencia a un grupo. Implicación que crece en los entornos digitales y decrece

3- Sociólogo de la Universidad de Toronto, pionero en el análisis de redes sociales. Principal investigador de sociología empírica de las comunidades en Internet. Sus estudios muestran la realidad de la vida social en Internet.

en los físicos. Internet ha facilitado el acceso a la información y la extensión del conocimiento a todos los habitantes del mundo.

La accesibilidad, inmediatez y sencillez que caracterizan a Internet facilitan las relaciones interpersonales situándolas a un toque de pantalla. Las nuevas tecnologías han transformado hábitos y ampliado las posibilidades y formas de comunicación. Han facilitado igualmente el aprendizaje y la transmisión del conocimiento a través de las interacciones que se producen entre los usuarios y los contenidos. Internet ha puesto a disposición de los usuarios unos canales de comunicación y exposición pública desconocidos, e inexistentes hasta el acceso de los internautas al mundo digital.

Internet crea y desarrolla lazos débiles y refuerza los lazos fuertes que se originaron en una relación física. Se observa una tendencia hacia la disminución de la sociabilidad física tradicional modificando la forma de socializar de las personas dando lugar a lo que expertos denominan *privatización de la sociedad*, tendencia de las personas a crear lazos electivos.

Barry Wellman[3] denominó el fenómeno *cuanto más, más* a la influencia de Internet en la sociabilidad de las personas. Cuanto más amplia es la red social física de un individuo, mayor es su utilización de Internet; el mayor uso de Internet refuerza la red física en la que interactúa. La misma relación directa se produce en sentido inverso. La menor sociabilidad en un medio físico tiene su reflejo en un entorno virtual.

Las manifestaciones de amistad y compañerismo dejan de estar sometidas a las limitaciones de espacio y tiempo modificando los usos y las cos-

tumbres de las relaciones sociales. Las relaciones interpersonales se producen en un espacio libre de restricciones geográficas y sin fronteras de comunicación.

Una de las principales ventajas que se le atribuye a la tecnología es la de acercar a las personas un amplio conjunto de herramientas que les permiten interactuar e interrelacionarse enriqueciendo su comunicación, regida por un sistema bidireccional en el que la conversación es el concepto clave.

La red de redes ha modificado la fisonomía de las relaciones personales. Las redes sociales han supuesto un cambio de actitud, una revolución de valores y prioridades. Estos nuevos escenarios de socialización demandan reglas universales y concretas de hábitos positivos y enriquecedores, que garanticen una convivencia normalizada, una conducta respon-

sable en un medio donde la comunicación se realiza de forma mayoritariamente escrita. El conocimiento por parte de los usuarios de los comportamientos es clave para su aplicación y difusión.

La cortesía, tal y como la conocíamos hace veinte años, ha cambiado y ha evolucionado hacia unos términos de cortesía que nada tiene que ver con lo que se hacía en aquella época. Se ha producido una relajación en las fórmulas y estrategias de cortesía en las relaciones que se mantienen a través de medios digitales. No solo la conducta o el comportamiento se ven afectados por la cortesía; las emociones, los impulsos y los afectos se hallan condicionados a ella. La puesta en práctica de la cortesía legitima la socialización de las personas.

ONL NE

EL LENGUAJE EN LA RED

El lenguaje es el medio más poderoso de intercambio, relación y comunicación interpersonal. Por medio de la lengua nos comunicamos y transmitimos experiencias y saberes, provocando la generación de relaciones sociales a través de las cuales se configuran las sociedades humanas, con identidades y culturas propias.

El español, según fuentes del Instituto Cervantes (2015), es la segunda lengua materna, y en cómputo global, del mundo por número de hablantes. Su carácter como lengua expansión[4], idioma homogéneo y lengua geográficamente compacta, le confieren la característica de idioma internacional.

En este sentido, el número de hablantes, el índice de Desarrollo Humano –incluye nivel educativo, esperanza de vida y renta per cápita-, la extensión geográfica, el número de países en los que es oficial, la tradición literaria y científica y el papel que desempeña en la diplomacia, sitúan al español como segunda lengua más importante en el ámbito internacional.

4- De carácter oficial en más de una veintena de países del mundo.

Sign up

Don't have an account? Create now.

5- Se puede considerar la segunda lengua de comunicación en Internet, tras el inglés, al ser el chino un idioma que solo hablan sus nativos.

6- Neutro e internacional son las denominaciones más empleadas.

👤 Username

🔒 Password

☐ Remember me   Forgot password?

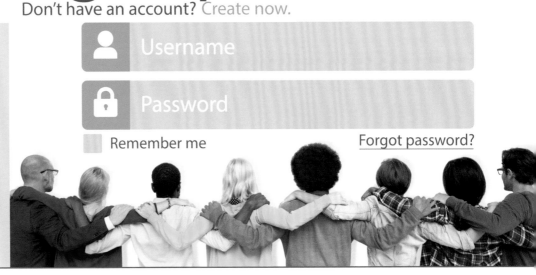

El español es la tercera[5] más utilizada en la Red —por detrás del inglés y del chino- y el segundo idioma más utilizado en las dos principales redes sociales del mundo: Facebook y Twitter, y en Wikipedia, por número de visitas. El español es una lengua -una de las más bellas de la tierra con capacidad de expresión y definición magníficas- que hablan casi 500 millones de personas.

Lenguaje global, estándar, internacional o neutro[6] son distintas denominaciones de una lengua, de ninguna parte y de todo el mundo, indiferente a localismos y acentos, con un léxico común comprensible para todos los hablantes e infinidad de vocablos de aplicación casi ilimitada.

La capacidad de usar una lengua diferencia a las personas de los animales. Sueños,

ideas, sentimientos, necesidades, satisfacciones, pensamientos, etc., aparecen y se refuerzan a través del lenguaje. Es la herramienta que iguala en mayor medida a las personas.

Internet es el lugar de encuentro y crecimiento de todas las lenguas vivas. La inmediatez que caracteriza a este medio ha eliminado fronteras y permitido la interconectividad desde cualquier lugar y con cualquier usuario, favoreciendo el entendimiento en la Red entre elementos escritos y orales (pensados para necesidades, situaciones y contextos diferentes). El castellano evoluciona con el uso de los mensajes y la escritura que se realiza en Internet.

La vertiginosa evolución de las tecnologías ha facilitado que la comunicación por medios escritos goce de características propias del lenguaje oral: fluidez, dinamismo, espontaneidad, flexibilidad, etc. Precisión, claridad y sencillez caracterizan al lenguaje utilizado en la Red.

El particular código lingüístico practicado en las redes sociales suscitó el temor a que la inmediatez propia de Internet posibilitara el deterioro o descuido del lenguaje. Los académi-

cos coinciden en que el prestigio, la estimación y buen crédito del que goza el español han facilitado la adaptación de todas las comunidades de usuarios hispanohablantes y el establecimiento en la Red de la norma culta panhispánica. Gabriel García Márquez[7] sostenía que "lo importante para escribir bien en Internet es saber escribir".

Este rápido avance de Internet ha facilitado la masiva introducción de nuevos medios basados en la Red, generando unos niveles de lectura y escritura de los usuarios desconocidos hasta el momento, que se diversifican y se propagan. En concreto, el elevado crecimiento de la escritura en medios digitales ha provocado una evolución del lenguaje imprevisible.

Haverkate (1994), estudioso del hispanismo, afirma que el hablante español, en su empeño por ganarse la confianza de su interlocutor, relaja las convenciones lingüísticas aceptables en entornos informales.

Abad (2012) resalta la importancia del lenguaje escrito en la configuración del lenguaje: "Ahora nuestra identidad está formada por una foto muy pequeña y todo lo que escribimos. Y eso hace que nos preocupemos muchísimo más por lo que redactamos. Estamos participando en un medio global. Todo lo que decimos puede llegar a todo el mundo".

La I Jornada Fundéu BBVA-Aerco PSM (2012), organizada con el objeto de reflexionar sobre el buen uso del español en los medios sociales determinó que las redes han cambiado la forma de comunicarse entre las personas, destacando como cambios resaltables la conversión de la escritura de privada a pública[8] y el paso del monólogo al diálogo; la creación de un nuevo lenguaje de aplicación en la Red; el protagonismo de las redes sociales en la influencia

7- Premio Nobel de Literatura 1982.

8- Que la escritura se haya hecho pública "es un signo de optimismo (...) Cuando alguien escribe en público, y lo lee más gente de lo que él pensaba, va haciéndose más exigente con su forma de escribir y con la escritura de los demás" (Abad, 2012).

ejercida sobre el lenguaje desplazando a los medios de comunicación y su poder de antaño; la creación por parte de los usuarios de nuevas pautas del lenguaje; los intereses comunes como determinantes del contenido de los mensajes, con una gran responsabilidad sobre el uso que se hace del mismo; y, la atribución de la identidad a la forma de escritura.

La II Jornada Fundéu BBVA-Aerco PSM, celebrada al año siguiente con el objeto de continuar la reflexión sobre la mayúscula influencia de las redes sociales en el uso del lenguaje, y la reivindicación de los mínimos que se deberían cumplir a la hora de escribir en los medios sociales, dada la enorme repercusión que alcanzan los textos en este medio, ha puesto de manifiesto dos consecuencias importantes: la democratización de la participación, donde cualquier usuario puede manifestar su opinión, y la distorsión de la lengua.

Las conclusiones de la II Jornada destacaron el perfil lingüístico como expresión principal de identidad digital; la responsabilidad de los medios de comunicación en el uso del lenguaje; la influencia de los usuarios en la evolución del idioma, usos que probablemente se conviertan en normas, y su papel como correctores; la condena de los errores en las redes sociales; la práctica de la prudencia en la redacción y pulcritud en la divulgación de los mensajes; la aparición de nuevos canales de transmisión y su influencia en el uso del lenguaje, propio en cada red social, genera aceptación y ésta, integración; la adaptación del lenguaje a las limitaciones técnicas; y, el reto de incrementar la generación de contenidos en español.

El director general de la Fundéu BBVA, Joaquín Müller, afirmó que "las redes sociales están generando preocupación por el lenguaje y los usuarios saben que si expresan de forma incorrecta sus opiniones, su mensaje pierde valor y los desprestigia". Defiende, entre otros argumentos, que las faltas de ortografía destruyen el mensaje.

Müller asegura que no atenerse a las recomendaciones de cortesía en la Red te lleva «al escarnio público en la plaza digital de las redes sociales» y asegura estar plenamente convencido de que "se juega en Internet el futuro de la lengua" motivado por la permanente exposición pública merced a los nuevos medios digitales.

Aunque esta afirmación es avalada por numerosos expertos, no es menos cierto que Twitter y Facebook crean una nueva ortografía. Las redes sociales ofrecen una nueva forma de comunicarse, han logrado consolidarse como el "nuevo escenario de la comunicación humana". El tiempo modifica el lenguaje, es un ente vivo en constante evolución.

La intensa fuerza demográfica y cultural del español, y el potencial económico que esta supone, hace necesario un ejercicio de modernización, con los aportes de cada país hispanohablante, reforzando su lugar en la Red.

Expertos comunicadores justifican el nuevo lenguaje que se está creando en la Red y denominan *democracia digital* a la responsabilidad individual de cada persona, respecto a los contenidos que inserta en la Red.

"La hibridación de códigos comunicativos como tendencia imparable y la tendencia a escribir como se habla", como forma de potenciar atributos expresivos característicos de la comunicación oral, son los rasgos más desta-

cables del IX Seminario Internacional de Lengua (Fundación San Millán de la Cogolla, 2014). Internet ha motivado el fin de la comunicación unidireccional.

El X Seminario Internacional de la Lengua, celebrado en octubre de 2015 concluyó afirmando (Fundeu, 2015) que "la norma define un terreno de juego general para todos los hablantes; el estilo, un camino propio dentro de ese marco". La norma, que no es única, fortalece la cohesión de la lengua, el estilo la complementa. Reconoce igualmente, entre otros términos, que los autores son los peores correctores de sus propios textos.

Los usuarios jóvenes han influido notablemente en el lenguaje que se utiliza en la Red, principalmente en sistemas de comunicación escritos en tiempo real: SMS, WhatsApp y en el correo electrónico. Habla caracterizada por la ausencia de acentos, las frases incompletas, el uso de nuevos términos que combinan letras y números, la repetición de letras, el empleo masivo de emoticonos, etc.

El lenguaje impreso que domina en la actualidad la comunicación en Internet goza de buena aceptación por la facilidad de lectura y su versatilidad para publicar y compartir información. Un idioma que utiliza, en la mayoría de las comunidades virtuales, el masculino genérico y contribuye a la aplicación de un lenguaje no sexista.

La utilización de la arroba (@) como forma de integrar el género femenino y masculino es un tema de actualidad, muy presente en los escritos que proliferan en la Red, que ha suscitado muchas discusiones.

Numerosos usuarios defienden su uso como un eficaz ahorro de tiempo o espacio de caracteres, y su finalidad visual como reclamo de la atención, justificando el uso de la arroba en la evolución que sufre el lenguaje a lo largo del tiempo, como idioma vivo reflejo de la realidad de la época en el que se habla.

Los defensores de esta práctica aluden a su fondo igualitario, a la imprescindible visibilidad de las mujeres en los textos, a la necesidad de disipar ambigüedades en enunciados que

pueden conducir a errores interpretativos, a la simplificación del escrito y a su facilidad para sortear pesadas repeticiones, motivadas por la novedosa costumbre de hacer alusión a los dos sexos en cualquier comentario o texto, amén de que este símbolo parece incorporar en su trazo las vocales a y o. Alaban su uso en un contexto informal, considerando fundamental distinguir la oportunidad de su utilización.

El padre de la lingüística contemporánea, Ferdinand de Saussure, defendió la mutabilidad e inmutabilidad del lenguaje. No se puede cambiar de repente y con facilidad pero los hablantes, con el paso del tiempo y de forma gradual, lo transforman.

En el otro lado de la discusión se encuentran las fuentes a las que se recurre en caso de duda gramatical, académica o léxica. El Diccionario panhispánico de dudas afirma que la arroba "no es un signo lingüístico y que su uso es inadmisible desde el punto de vista normativo además de poder dar lugar a graves inconsistencias del lenguaje"[9]. La Real Academia Española, la Fundéu y diversos manuales de estilo alegan, justificando su rechazo, no solo que la arroba no es un signo lingüístico, sino que su aplicación sistemática puede generar incoherencias.

9- Disponible en (http://lema.rae.es /dpd/srv/search?i d=Tr5x8MFOuD6D VTlDBg/). Consultado el 8 de noviembre de 2015.

comunicación en los entornos digitales

La arroba no es una letra, es un símbolo así lo define en su vigésimo segunda edición, en su quinta acepción, el Diccionario de la lengua española (DRAE), obra de referencia de la Academia: "símbolo usado en las direcciones de correo electrónico"[10]. Sus detractores la consideran una simple moda y una ilusión óptica de igualdad. Un signo, carente de fonema o grafema, en un alfabeto que lo sustente gramaticalmente.

Discusión que afecta igualmente al uso de la mayúscula sostenida. Foros, correos electrónicos y muros de redes sociales son los escenarios utilizados por los defensores de su utilización. Argumentan, a favor de su empleo, que ayuda a las personas con dificultades visuales. Los detractores de esta práctica recomiendan utilizar marcadores tipográficos o aumentar el tamaño de la fuente para evitar este uso inapropiado. Aluden que las mayúsculas equivalen a gritos, producen rechazo, aumentan la fatiga visual, se interpretan como una imposición, una llamada desesperada de atención o un desconocimiento de las normas básicas gramaticales además de dificultar la lectura de los textos, debido al horizonte lineal que presentan al estar escritos en mayúsculas. Insisten también en que el uso tradicional de éstas ha sido resaltar una palabra, punto o aspecto concreto de un texto.

El vocabulario y la gramática se ven afectados por los canales de comunicación que ofrece Internet, y por los dispositivos electrónicos desde los que mayoritariamente se accede a ella. Admitir nuevos usos lingüísticos, sin permitir que la anarquía se apodere del lenguaje pero respetando su naturaleza dinámica y colectiva en constante evolución, es la característica del lenguaje que se emplea en la Red.

La realidad palpable de poder escribir en cualquier momento, desde cualquier situación y contexto, favorece la modelación del lenguaje, que evoluciona de forma no pre-

10- Quinta acepción. Disponible en (http://lema.rae.es /drae/?val=arroba. Consultado el 8 de noviembre de 2015.

vista de antemano. La necesidad de adaptarse a los nuevos tiempos, y a los avances que la tecnología ha puesto a nuestra disposición, ha promovido una nueva definición de la cualidad de analfabeto, que incluye a aquellos sujetos que no son capaces de aprender, olvidar lo aprendido e instruirse nuevamente.

Los principales usos lingüísticos que florecen en la Red son escribir vocablos sin corregir, o como suenan, en distintos idiomas o todos juntos; comprimir o estirar palabras, reducirlas a consonantes, o alternarlas con iconos; abreviar sin impunidad ni orden; supresión de la "h" muda y del punto en abreviaturas y tildes; sustitución de la "q" por la "k"; onomatopeyas; licencias ortográficas; expresiones coloquiales; desaparición de signos de apertura de exclamaciones e interrogaciones; utilización de mayúsculas con fines emocionales; y, el empleo de escaso vocabulario. Todo lo que no aporta información, se elimina.

El manual publicado por la Fundación del Español Urgente, "Escribir en internet. Guía para los nuevos medios y las redes sociales" (Tascón, 2012) aconseja ser consciente de la audiencia objetivo, emplear adecuadamente los tratamientos sociales, cuidar la claridad y estructura de los textos, valorar las diferencias culturales y no ampararse en el anonimato que proporciona la Red para ser irrespetuosos. La proliferación de textos que se encuentran en Internet ha provocado la prioridad de la consulta sobre la lectura por lo que se recomienda facilitar el acceso a la información buscada, reducir todo lo posible el tamaño del mensaje —sin desvirtuar su intención-, y moderación en el uso de adjetivos y adverbios.

Numerosos expertos en comunicación defienden que el idioma es de los hablantes y el uso que hagan del mismo provoca su evolución como elemento vivo, y la aceptación de su uso por parte de las academias encargadas de velar por su desarrollo.

El ser humano se manifiesta a través de la palabra, en ella deposita su esencia, y la Red es el escenario donde se localiza y se aporta significado.

11- Discurso titulado: "Algunas ideas referentes a los neologismos". Página 17, 23 de abril de 1899.

12-Disponible en (http://lema.rae.es/drae/?val=neologismo). Consultado el 9 de noviembre de 2015.

13- Procedimiento de reducción de una palabra mediante la supresión de determinadas letras o sílabas; p. ej., los acrónimos, los acortamientos, las abreviaturas y las siglas. RAE, 22ª edición, 2ª acepción. Disponible en (http://lema.rae.es/drae/?val=abreviaci%C3%B3n). Consultado el 9 de noviembre de 2015.

NEOLOGISMOS

La Real Academia Española de la Lengua ha mostrado desde su constitución un interés por el estudio de las palabras que los hablantes utilizan en su comunicación oral, con el objeto de valorar su incorporación a la lengua. En este sentido, Daniel Cortázar en su discurso de acceso a la Real Academia Española (RAE, n.d.)[11] pronunciado en 1899, justificó: "Para el aumento, desarrollo y riqueza de una lengua es preciso dotarla de todas aquellas voces que pidan las necesidades diarias (…), de ahí que vaya creciendo el caudal de neologismos". Cortázar era partidario de los neologismos "bien establecidos".

A lo largo del proceso histórico de nuestra lengua se introdujeron arabismos, galicismos, germanismos, italianismos y anglicismos. Nuevas formas de expresión y formación de palabras nacidas al amparo de los medios digitales e Internet. La mayor parte de los nuevos términos que se originan provienen del latín y del griego, aunque el inglés, el árabe, el francés y el germano ejercen igualmente influencia, sin despreciar las aportaciones de lenguas minoritarias como el maorí o el esquimal. Otros términos son generados por objetos, situaciones o realidades ligadas mayoritariamente al entorno digital.

La 22ª edición del DRAE define neologismo[12], en su primera acepción, como "vocablo, acepción o giro nuevo en una lengua"; y en la segunda, "uso de estos vocablos o giros nuevos".

El Diccionario panhispánico de dudas distingue diversos tipos de extranjerismos. Extranjerismos superfluos, para los que existen términos vigentes en español (cuyos vocablos recomienda utilizar), y extranjerismos necesarios, muy extendidos o impuestos, sin equivalencia en español y sustituibles por otras voces. La RAE recomienda escribirlos en cursiva.

La evolución natural de una lengua viva provoca la aceptación de palabras de reciente incorporación a su vocabulario, y su utilización

siempre y cuando ese idioma no posea el vocablo correspondiente al concepto que se quiera definir. Su uso extendido entre la población o la necesidad de definir nuevos objetos o realidades, aparejados al desarrollo científico y tecnológico, son las causas que han provocado su aparición.

A nivel morfológico, el fenómeno de Internet tiene unas determinadas formas de dar paso a nuevos términos dentro del lenguaje. Las más productivas son la abreviación[13], la composición[14] y la derivación[15] a los que hay que sumar la parasíntesis[16] y la acrononimia[17].

Con el objeto de respetar la unidad natural de la lengua, caracterizada por una gran dispersión geográfica, y alcanzar una consonancia entre los términos, se sugieren algunos mecanismos (Grompone, 2010) para la construcción o traducción de los neologismos: respetar el origen del neologismo, no traducir las siglas, las contracciones ni las palabras inventadas, y adaptar las palabras existentes, como opción preferible a la invención de nuevos vocablos.

La modificación que sufre la lengua se sustenta fundamentalmente en dos fuentes: estructural, que alude a los términos creados para denominar la Red y su funcionamiento; y, racional, expresiones que han surgido como consecuencia de las interacciones sociales que se producen entre los usuarios.

La autoría de los neologismos es difusa. Se conoce la identidad[18] (*penicilina* es una palabra atribuida a Alexander Fleming, *libido* a Sigmund Freud y burocracia a Max Weber, por citar unas pocas representativas) pero se ignora quién ha creado la mayor parte. La relación e intercambio de información entre los usuarios de las distintas redes sociales, favorece la creación y el desarrollo de nuevos coloquialismos.

14- Procedimiento por el cual se forman palabras juntando dos vocablos con variación morfológica o sin ella; p. ej., cejijunto, lavavajillas. Se aplica también a las voces formadas con vocablos de otras lenguas, especialmente del latín y el griego; p. ej., neuralgia, videoconferencia. RAE, 22ª edición, 9ª acepción. Disponible en (http://lema.rae. es/drae/?val=composici% C3%B3n). Consultado el 3 de octubre de 2014.

15- Procedimiento por el cual se forman vocablos alterando la estructura de otros mediante formantes no flexivos como los sufijos; p. ej., cuchillada, de cuchillo; marina, de mar. RAE, 22ª edición, 5ª acepción. Disponible en (http://lema.rae.es/drae/ ?val=derivaci%C3%B3n). Consultado el 9 de noviembre de 2015.

16- Formación de vocablos en que intervienen la composición y la derivación; p. ej. pordiosero, picapedrero. Disponible en (http://lema.rae.es/drae/ ?val=paras%C3%ADntesis). Consultado el 9 de noviembre de 2015.

17- "Formación de una palabra a partir de dos o – muy raramente- tres unidades léxicas, estando representada, al menos una de ellas, por un fragmento (una o más sílabas) de su significante: la primera, por el fragmento inicial de su significante, y la última por el fragmento final del suyo". Biblioteca Virtual Miguel de Cervantes. Disponible en (http://www.cervantesvirt ual.com/obra-visor/acrnimos-acronimia -revisin-de-un-concepto-0/html/01338c1a-82b2-1 1df-acc7-002185ce6064_3.html). Consultado el 9 de noviembre de 2015.

27

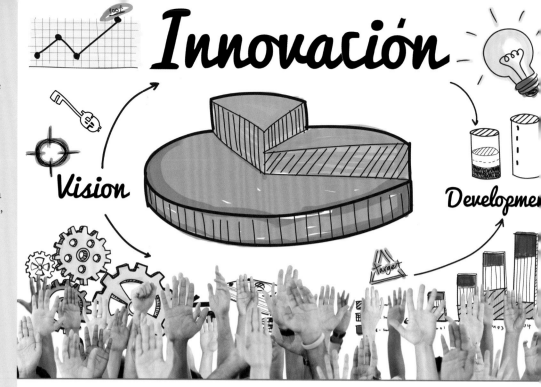

18-"En su libro *El lenguaje de la publicidad*, Eulalio Ferrer hace una lista de estas palabras que han tenido un dueño claro; aquellas que han sido descubiertas, inventadas o acuñadas por algunas personalidades ilustres del mundo de la cultura hispanoamericana. Cita, por ejemplo, a Quevedo y dos de sus hallazgos, *suegrería* y *deshombrearse;* a Unamuno, que creó *yoización y nivola*, neologismo con el que definió sus propias obras, para alejarlas de las tradicionales novelas. También cita a Ortega y Gasset, autor de *aspirinizar* y *verbipotente,* mientras que Octavio Paz ideó *soledumbre y polvóreo.* Son igualmente curiosas las aportaciones de Neruda, *crepusculario*; Cela, *gluteofobia*, o Carlos Fuentes, *pepsicóalt*, una suerte de animal mitológico. Hay más: Ramón Gómez de la Serna inventó *moribundia*; Antonio Machado, *otredad*; García Márquez, un verbo, *palabrear*, y el flamante premio Cervantes de este año, el escritor mexicano José Emilio Pacheco, que viendo la habilidad de algunos gobernantes pasó de emperador a *empeorador*" (Sanz, 2010, párr. 3).

19-Desde el 12.12.2014 aunque la posesión del cargo la efectúa el 8.01.2015. Disponible en (http://www.rae.es /la-institucion/ presentacion/saludo-del-director). Consultado el 8 de noviembre de 2015.

20- Carga oral que se completa, entre otros recursos, con el uso de onomatopeyas y estiramientos gráficos.

El director[19] electo de la Real Academia Española, Darío Villanueva, afirma que la vertiginosa evolución de las tecnologías, "mal llamadas nuevas tecnologías", no solo ha modificado la manera en la que nos comunicamos las personas sino los usos lingüísticos asociados a todas las actividades realizadas de forma virtual.

Se han adoptado numerosos neologismos en un margen de tiempo breve debido a la globalización, y favorecida por los medios virtuales. Neologismos que se han expandido rápidamente debido a la inmediatez que caracteriza a la comunicación por medios electrónicos, y que enriquecen la lengua. La creación de vocablos al amparo de las tecnologías, sin traducción exacta a otras lenguas, no justifica la utilización de una jerga, mezcla de inglés técnico y español, como lenguaje natural propio de estos medios.

Nuestro modo de comunicarnos ha cambiado y con él los usos lingüísticos asociados a nuestra actividad virtual.

EMOTICONOS

Emoticono es una adaptación de la palabra inglesa *emoticon* (combinación de *emotion* e *icon*). Aporta oralidad[20] a la comunicación escrita. Los emoticonos son códigos originales, creados por los usuarios de Internet, para representar tanto sentimientos y estados emocionales como tendencias a la acción, reforzando y complementando la información facilitada por las palabras. Las aplicaciones de mensajería instantánea popularizaron su uso y notoriedad.

El origen de los emoticonos es incierto. Se cita un guiño ortográfico encontrado en la transcripción de un discurso del presidente norteamericano Abraham Lincoln realizado por el diario *The New York Times* el 7 de agosto de 1862, aunque no faltan voces que aseguran que pudo deberse a un error tipográfico, o a una broma.

La revista satírica estadounidense Puck propuso el uso de signos de puntuación para representar expresiones humanas. Publicó el 30 de marzo de 1881, con anterioridad a la popularidad en ámbitos universitarios de la cara sonriente, los que se consideran los primeros emoticonos de la historia: *joy* (alegría), *melancholy* (melancolía), *indifference* (indiferencia) y *astonishment* (asombro). Líneas, rectas y curvas, y puntos que presentan la peculiaridad de provocar una lectura vertical (frontal).

21- Original Bboard Thread in which :-) was proposed (1982). Disponible en (https://www.cs.cmu.edu/~sef/Orig-Smiley.htm). Consultado el 8 de noviembre de 2015.

22- Sonrisa en el estilo occidental se representa :-) y en el oriental (^_^).

En 1911 el periodista Ambrose Bierce publicó *The Devil's Dictionary*, un diccionario de humor, en el que propone representar una sonrisa mediante el perfeccionamiento de signos de puntuación y un paréntesis tumbado (erróneamente simbolizado con una raya diagonal, una horizontal y otra diagonal).

El dibujante publicitario americano Harvey Ball, diseñó en 1963 una sonrisa, una cara amarilla sonriente representativa de una emoción.

Pese a todos estos antecedentes, el impulso definitivo a los emoticonos se atribuye a Scott Fahlman, ingeniero informático de la Universidad Carnegie Mellon, a raíz de un correo[21] enviado el 19 de septiembre 1982 al tablón de anuncios electrónico de su universidad. Según Tascón y Abad (2011), propuso recurrir a símbolos distintos de letras o números (no alfanuméricos), similares a una cara sonriente, para evitar malas interpretaciones en los correos entre colegas que incluían bromas o chistes. El mensaje enviado por Fahlman incluía dos emoticonos de reconocimiento universal, alegría y tristeza, y comentaba la obligatoriedad de girar la cabeza para ver las caras que representan los signos.

Los emoticonos cumplen una función informativa y complementaria a las palabras, a la vez que transmiten su propio mensaje: aportan el tono del que carece el lenguaje escrito, representan una expresión gestual, maximizan la eficacia de la conversación, refuerzan la comunicación y economizan espacio en el texto.

Existen[22] emoticonos occidentales y emoticonos orientales. Los primeros, demandan una interpretación lineal, y precisan ladear la cabeza noventa grados hacia la izquierda para su comprensión. Los segundos, se visualizan de forma frontal. Se considera a los emoticonos de código occidental economizadores de espacio (se puede eliminar el guión sin que el símbolo pierda significado) ya que con dos caracteres se pueden representar emociones, pensamientos, actitudes, etc. Los de código oriental demandan necesariamente tres elementos para ofrecer un sentido,

normalmente el paréntesis y otros dos a escoger entre el guión bajo, el acento circunflejo, la arroba, el signo de la suma, etc.

Los emoticonos más utilizados son la cara feliz, el rostro triste y el guiño. Además de estas tres caras conocidas, y reconocidas en todas partes, existe un amplio listado de emoticonos que responden a las diferencias suministradas por los aspectos propios de cada cultura. A las emociones básicas universales (alegría, tristeza, ira, miedo, aversión y sorpresa) se suman aquellas que simulan emociones sociales como la vergüenza, gestos emblema como el representado por el pulgar en su versión de aprobación o desaprobación, signos conversaciones o el recurso de varios iconos gráficos. Los emoticonos aportan soporte visual y emocional a la conversación.

El diseño de los emoticonos responde a los principios de igualdad de uso, flexibilidad, simple e intuitivo, información de fácil percepción, minimización de los errores, reducido esfuerzo para su elaboración e interpretación, dimensiones apropiadas y universalidad.

Desde su nacimiento hasta la actualidad, el número de emoticonos ha aumentado considerablemente integrando, con el avance de la tecnología, iconos gráficos estáticos y dinámicos, muchos de los cuales no tienen un significado claro o consensuado. Los emoticonos diseñados, que inclu-

23- Disponible en (http://www.tandfonline.com/doi/abs/10.1080/17470919.2013.873737?journalCode=psns20#.VJ7qBD2cKc). Consultado el 10 de noviembre de 2015).

24- Ruth, D. (2012). Women use emoticons more than men in text messaging :-). Disponible en (http://news.rice.edu/2012/10/10/women-use-emoticons-more-than-men-in-text-messaging/). Consultado el 12 de noviembre de 2015.

25- Disponible en (http://www.yorokobu.es/el-refranero-espanol-se-traviste-en-caritas-amarillas/). Consultado el 12 de noviembre de 2015.

yen los *emojis*, propios de los sistemas operativos telefónicos nipones, pueden ser estáticos o dinámicos. Nacieron a la par que la mensajería instantánea.

El Dr. Owen Churches, de la Escuela de Psicología de la Universidad de Australia del Sur (Adelaida), ha realizado un estudio, cuyos resultados se publicaron en la revista *Social Neuroscience*[23], en el que demuestra que el cerebro reacciona ante un rostro humano de forma similar que ante un emoticono, siempre y cuando éste se escriba de izquierda a derecha.

Un estudio[24] desarrollado en 2012 por la Universidad de Rice demuestra que las mujeres, más expresivas en su comunicación no verbal, recurren en mayor medida que los hombres al uso del emoticono en los mensajes de textos, aunque éstos presentan mayor variedad de elección.

El refranero español no es ajeno a este fenómeno de los emoticonos y su capacidad para aportar tanta información con dibujos que ocupan poco espacio. El director de cine Rodrigo Sopeña ha inventado una lista de 69 refranes[25], que circulan por la Red para mantener vivos proverbios, gracias a unas pocas ilustraciones.

La utilización de los emoticonos no solo se reserva para todo tipo de mensajes cortos o sistemas de comunicación instantánea, también para correos electrónicos de carácter informal o entradas de bitácora, en la que se aborden aspectos no científicos o de interés general, que justifiquen su utilización.

ETIQUETA EN LA RED

Convenciones que ordenan el comportamiento en medios digitales; reglas de buenas costumbres que es conveniente seguir en la Red; pautas de buenas maneras en relaciones virtuales; lenguaje y formas que deben emplearse en Internet en particular y en las redes sociales, en general; actitudes y usos para un buen uso de Internet; reglas de uso respetuoso y efectivo; recomendaciones de buenas costumbres; consejos prácticos y elementales; conjunto de reglas que regulan el comportamiento de un usuario en el ciberespacio, educación en los entornos digitales… son distintas definiciones que hacen referencia a reglas de facto surgidas de la propia comunidad de Internet, no impuestas por ninguna organización, y compiladas en 1995 en un documento llamado RFC[26] 1855, *Netiquette Guidelines*.

La creación de los protocolos USENET, el incremento del número de usuarios que accedían a los sistemas de discusión y la expansión de la Red, generaron la necesidad de establecer normas con dos finalidades claras: facilitar la comunicación respetuosa y ética entre los distintos usuarios, y defender su privacidad. Normas conocidas como *netiquette*[27], reglas de ética y buenos modales de Internet que facilitan las relaciones que se establecen en entornos digitales.

Netiqueta[28] alude a los códigos de buena conducta desarrollados de modo organizacional y comunitario y a las pautas, no escritas y facultativas, que inciden de forma positiva en la diferenciación de los perfiles, la construcción y mantenimiento de la imagen de marca así como la elaboración de la reputación digital.

26- Request for Comments – Netiquette Guidelines. Disponible en (http://rfc1855.net/). Consultado el 11 de noviembre de 2015

27- Palabra inventada -formada por net (inglés) y étiquette (francés). Otra versión menos conocida y popular vincula el término etiqueta a la expresión latina: "est-hic-quaestio", concepto de litigio cuyo origen se sitúa en los documentos judiciales franceses. El Diccionario etimológico del Dr. Pedro Felipe Monlau, publicado en 1856, formó "etiqueta" de la contracción de "Est-hic-quaestio" ("Aquí está la cuestión").

28- Navegar por la Red implica asumir responsabilidades de comportamiento respetando las reglas (culturales, educativas, etc.) que proponga cada comunidad de miembros. En un principio, las pautas se centraron en grupos de noticias, listas y correo electrónico.

29- Ética originada y aplicada, de forma no exclusiva, en comunidades virtuales. Libro con prólogo de Linus Torvalds (creador del sistema operativo Linux) y epílogo del sociólogo Manuel Castells.

La etiqueta en la Red adapta los buenos usos de la comunicación tradicional al nuevo entorno de Internet, especificando reglas concretas de actuación para la interacción y la participación en los ámbitos donde éstos se desarrollen, generalmente a partir de adaptaciones de la RFC 1855. Cada red o comunidad determina las recomendaciones positivas para la convivencia, alejadas de tradicionales normas severas y estrictas, que mejor se adapten a su caso particular. Evitar el abuso de la tecnología, la intromisión en la vida laboral o personal de los demás y gestionar la información de una manera accesible, estandarizada y eficiente, garantizan un uso eficaz y apropiado de la Red.

La Fundación del Español Urgente, Fundéu recomienda escribir la forma españolizada *netiqueta* en cursiva o, en su defecto, entre comillas, al ser una voz no perteneciente a nuestro idioma. Reconoce igualmente la aceptación de la denominación Etiqueta en la Red por la facilidad para comprender su ámbito de aplicación.

La manera de relacionarse con las personas del entorno, la forma a través de la cual se accede a los contenidos, o se comparte información, evolucionan constantemente provocando en los últimos años la aparición de nuevos canales, códigos y lenguajes de comunicación.

El sociólogo y filósofo finlandés Himanen (2002) avanzó en su obra "La ética del hacker y el espíritu de la era de la información"[29] que la *netiqueta* se convertiría poco a poco en parte de la identidad de cada comunidad, permitiendo la diferenciación entre las mismas y sirviendo de base a unos modos culturales que él llama *nética*[30].

La *nética* es la ética en la red, la actitud de los hackers[31] con los medios de comunicación. Defiende la libertad de expresión de los que participan en la Red, el reconocimiento de la autoría de las fuentes, la responsabilidad de la información veraz que se comparte y el fomento de la interacción respetuosa y voluntaria.

La *netiqueta* afecta a las interacciones directas e indirectas entre los usuarios en el entorno digital y se aplica principalmente en foros, chats, blogs, correos electrónicos, servicios de mensajería instantánea y redes sociales. La aplicación voluntaria de convenciones establecidas y aceptadas por todos los individuos que navegan por la Red, con independencia de los motivos que originen su actuación, facilita la convivencia en este tipo de entornos digitales.

Se han escrito distintos artículos y libros sobre la etiqueta en el entorno digital. "NETiquette", ensayo de Virginia Shea (1995), se considera de gran interés porque su publicación coincide con el nacimiento de Internet y ha sido objeto de cita en numerosas ocasiones. Muchos años después de su edición sigue ofreciendo pautas básicas que facilitan la convivencia en la Red. La interacción con otras personas que tienen sentimientos que hay que proteger; adherirse a los mismos estándares de compor-

30- "Esta expresión alude a la relación que el hacker mantiene con las redes de nuestra actual sociedad red en un sentido más amplio que el término más habitual de *netiqueta* (que concierne a los principios de conducta en el contexto de la comunicación en Internet)".

Netiquette

31- Considera el autor a los hackers personas que usan los ordenadores para su ocio y relaciones sociales (por contraposición a los crackers, piratas informáticos que actúan con un fin lucrativo).

32- El lenguaje "refleja lo que somos y nos define culturalmente" (Tascón, 2012).

tamiento en línea que se siguen en la vida real; no escribir todo en mayúsculas; respetar el tiempo de los sujetos con los que se relaciona; mostrarse agradable en línea; compartir de forma coherente el propio conocimiento con la comunidad; contribuir a la generación de debates sanos y educativos; respetar la privacidad ajena; no abusar del poder propio y disculpar los errores ajenos, son sus principales propuestas.

La total imposibilidad de rastrear o eliminar las publicaciones -correo electrónico, chats, redes sociales, grupos de discusión, etc.- es otro argumento en favor de la práctica de la cortesía en los medios digitales. El almacenamiento o el reenvío de contenidos son habituales entre usuarios.

Los principios generales a tener en cuenta a la hora de interactuar en Internet que complementan a los citados son: recordar que el medio es digital pero que los receptores son seres humanos; ser conscientes de la audiencia, lo que permite adaptarse a todos los interlocutores; evitar el lenguaje[32] grosero y soez y las expresiones agresivas, con moderación en el uso de la ironía; practicar la claridad y concisión al escribir, como garantes de la lectura; respetar normas de ortografía, léxico y sintaxis; responder a textos originales con la inclusión de los párrafos necesarios para seguir el tema; medir

las críticas que se publican; participar en debates que incumban; escribir en formato mensaje corto en aquellas situaciones o formatos que así lo demanden; citar las fuentes y dar a conocer el fundamento y origen de los argumentos; no difundir contenidos ofensivos o engañosos; respetar todas las opiniones; utilización positiva de las etiquetas; no exigir aceptaciones de solicitudes, respuestas, comentarios, etc.; no responder a la provocación; resolver los problemas de forma privada y respetar el perfil de uno mismo. Nunca hay que temer disculparse.

Los formalismos excesivos y las afirmaciones categóricas no están bien vistos en la Red. Otros aspectos a controlar son la ubicación del tema, que a su vez determinará la prontitud en la respuesta, siempre debida; la protección de la identidad de los contactos, premisa que contribuye a proteger la seguridad de los destinatarios; y, la programación de la firma en un contexto formal, o la relajación de ésta en una situación informal.

El reconocimiento de que nuestros escritos hablan por nosotros exige controlar el lenguaje empleado evitando palabras argot, abreviaturas irreconocibles o la sustitución de letras por sonidos; emular los formatos tradicionales de la carta escrita, que incluye saludo, desarrollo y despedida; escribir en mayúsculas cuando las reglas del idioma en que se escriba así lo dicten; no recargar el texto con fondos llenos de imágenes o colores, que únicamente conseguirán ralentizar la descarga de archivos; y, recurrir al uso de emoticonos y acrónimos de forma puntual, y únicamente en situaciones desenfadadas.

El respeto, la consideración hacia los demás y la educación en el trato social sustentan la cortesía en la Red. Ofrecer el

33- Real Academia Española (RAE)

Fundación del Español Urgente

Wikilengua del español

RAE en Twitter: @RAEinforma

Fundéu en Twitter: @Fundeu

34- Uno de los mayores especialistas mundiales en el ámbito de las tecnologías, considerado un gurú tecnológico. Autor de una decena de reconocidos libros sobre dirección empresarial y mercadotecnia. La máxima ofrecida es el resultado de una mala experiencia que el autor narró a Virginia Shea basada en la recepción de un correo anónimo criticando la calidad de sus textos y la turbación que le provocó. La habitualidad con que se produce este hecho llevó al experto a ofrecer tan sabia recomendación. Citado en Bederman (2014).

tratamiento que a cada uno le gustaría recibir, pensar antes de escribir, releer el mensaje antes de enviarlo y mostrarse indiferente ante un intento de agresión humanizan las relaciones en la web. Actúa de forma respetuosa y serás respetado.

La Oficina de Seguridad del Internauta, OSI (2014), recomienda no publicar en las redes sociales la fecha y lugar de nacimiento, la dirección, los datos bancarios, el número de teléfono móvil, los planes para las vacaciones, comportamientos inapropiados, insultos, consignas e ideologías, con el fin de preservar la privacidad del internauta.

Convertirse en un usuario que navega seguro por la Red reclama proteger los dispositivos adecuadamente y practicar buenos hábitos de uso. Aconseja OSI conocer los riesgos que entraña el uso de Internet, cuidar las contraseñas, contrastar la información que se maneja, ser precavidos con las descargas que se practican, los enlaces que se siguen o los archivos adjuntos sospechosos, desconfiar de correos de remitentes desconocidos y valorar la información que se quiere publicar.

La *netiqueta* colabora en el mantenimiento del prestigio y el buen uso de la lengua, utilizando recursos[33] a disposición de cualquier persona para resolver dudas, ampliar conocimientos o mostrar aprecio social.

Guy Kawasaki[34] nos ofrece en una máxima el objetivo y fin de la etiqueta en la Red: "sienta que lo que envía a través del ciberespacio es lo mismo que le diría en la cara a la persona". Consejo que puntualiza Virginia Shea (1995): "es posible que usted quiera decirle algo desagradable en la cara a esa persona. En ese caso, la *netiqueta* no puede ayudarle".

Cada persona es responsable de las palabras que pronuncia y escribe.

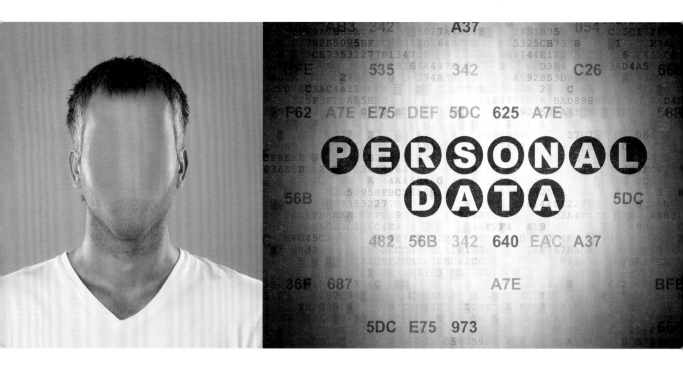

MARCA PERSONAL & IDENTIDAD DIGITAL

Ser una persona íntegra, auténtica y transparente, mostrando los propios valores e intereses conecta a los internautas entre sí, los "sintoniza", a la vez que los vuelve vulnerables al dejar al descubierto información identificativa.

El objetivo que cada persona tenga sobre sus motivos al interaccionar en las redes sociales, las herramientas que utiliza, la estrategia que desarrolla, el ámbito geográfico o lingüístico que busca, etc., condicionan el desarrollo de una marca personal.

Andy Stalman[35] define la marca como la actuación genuina de una persona -o empresa- y la forma en que comunica y hace sentir a los demás. La coherencia y el estilo propio contribuyen a la construcción de una marca personal sólida, caracterizada por la autenticidad.

El Instituto Nacional de Tecnologías de la Comunicación, INTECO (2012)[36], define identidad digital como la suma de la información que una persona publica, la información que comparte y la que existe sobre ella en la Red. Le otorga las características de social, subjetiva, valiosa, referencial, dinámica y contextual. El uso y participación en foros, blogs, sitios webs, redes sociales, correos electrónicos, etc., convierte a los usuarios en generadores de información. Toda la información personal disponible en Internet sobre un sujeto, generada por uno mismo o por terceros, es lo que se conoce como identidad digital.

La imagen que una persona quiere transmitir debe ajustarse de forma fiel a sí misma, lo que demanda una actitud precavida en su manejo, y unos adecuados niveles de privacidad en los perfiles de las redes sociales.

Los elementos que deben acompañar al usuario en la creación de su identidad digital son responsabilidad, seguridad y privacidad. La responsabilidad del uso de Internet exige que el usuario decida cómo utilizar los servicios que ofrece, qué información compartir, y cómo y con quién relacionarse. La

35 - Andy Stalman es uno de los mejores especialistas de marketing de España y Latinoamérica.

36- Ha publicado la Guía para usuarios: identidad digital y reputación online. Disponible en (https://www.incibe.es/CERT/guias_estudios/guias/Guia_Identidad_Reputacion_usuarios). Consultada el 11 de noviembre de 2015.

IDENTIDAD DIGITAL

37- El estudio PrivacyIndex elaborado por EMC Corporation sobre la valoración de los usuarios de su privacidad en Internet y las renuncias de los beneficios de una sociedad conectada que están dispuestos a realizar para mantenerla reveló tres paradojas sobre la pérdida de privacidad en la Red a favor de mayores comodidades. La paradoja "lo queremos todo" (beneficios de la tecnología digital sin sacrificar privacidad), la paradoja de "la inactividad" (se conocen los riesgos de la ausencia de vida privada pero no se toman medidas para protegerla) y la paradoja de "compartir en las redes sociales" (se facilitan datos personales y todo tipo de información). Disponible en (http://spain.emc.com/campaign/privacy-index/global.htm) y (http://spain.emc.com/about/news/press/2014/22140612-01.htm). Consultado el 16 de noviembre de 2015.

seguridad demanda crear una contraseña no evidente modificada con frecuencia, acceso a páginas y servicios seguros, no mantener el contacto con desconocidos en redes sociales y aplicaciones de mensajería y negarse a difundir información e imágenes que se quieran preservar. Lograr que Internet sea seguro depende de los usuarios, los padres y educadores, el gobierno y las instituciones y la industria. El usuario tiene a su alcance herramientas que le permiten controlar su privacidad[37]. De esta forma, la decisión de qué tipo de información facilita contribuye a la generación de su identidad digital.

La Asociación de Internautas ha publicado una lista de consejos para adultos y menores de edad sobre gestión de la privacidad en Internet, dado el rastreo a que puede ser sometido cualquier contenido publicado.

Recordar que en el mundo virtual, al igual que en el físico, se trata con personas, por lo que el respeto debe protagonizar las acciones cuyas consecuencias se experimentan en primera persona; contrastar las informaciones, procurar no facilitar demasiada información personal para evitar perder el control sobre la misma; desconfiar de contenidos de orígenes dudosos o inciertos; y, recordar que existen leyes que castigan las actividades ilícitas, y protegen los derechos fundamentales de los usuarios, son las premisas a tener en cuenta a la hora de moverse por la Red.

Todos los comentarios y aportaciones que se comparten en la Red conforman una identidad. Ser y estar en las redes sociales implica privacidad, visibilidad y reputación. La habilidad para gestionarlas con éxito es fundamental para relacionarse en la sociedad de la información.

La visibilidad de una persona, o marca, la probabilidad de que encuentre información sobre ella en la Red, se configura con actuaciones propias y referencias de terceros. La visibilidad es un concepto que está bajo control del sujeto -a través del sitio web propio (optimizada para los buscadores), creación de un blog, enlaces de sitios web relevantes, inclusión de videos en

Youtube, escribir como invitado o realizar entrevistas en bitácoras del sector, participación con comentarios de calidad en foros, creación de perfiles en redes sociales, etc-, y fuera de su control –posicionamiento en buscadores, sitios web con enlaces a nuestra página o blog, menciones en redes sociales, etc.– Es una cualidad medible, fundamentalmente por el número de contactos o seguidores que posee, y por las publicaciones de contenidos propios en muros ajenos, a través de enlaces o copia.

La reputación está ligada a los conocimientos y experiencias que se muestran, y se demuestran; al comportamiento practicado en los distintos entornos digitales, plasmado en la calidad de los contenidos, la congruencia y constancia de los mismos; y, la inspiración de la confianza. Confianza que se logra practicando la honestidad, transparencia, empatía y el entusiasmo, sobre la premisa de la interactuación entre seres humanos imperfectos, que cometen errores. La reputación se construye a lo largo del tiempo y varía en distintos periodos temporales.

El Instituto Nacional de Tecnologías de la Comunicación ofrece propuestas para proteger la identidad digital. Conocer las políticas de

privacidad del servicio o plataforma que se utiliza; configurar las opciones de privacidad de las cuentas, con el objeto de proteger las privacidades propias y ajenas; realizar un seguimiento periódico de los datos que circulan sobre uno en la Red; negarse a facilitar datos personales innecesarios o excesivos; reflexionar sobre los contenidos que publicamos en Internet; y, acudir a las Fuerzas y Cuerpos de Seguridad del Estado en caso de suplantación de identidad u otras infracciones. La pérdida de privacidad, por sobreexposición o conocimiento de datos sensibles; los ataques a la imagen mediante amenazas, burlas o injurias; la suplantación de identidad por robo, fraude o falsedad; así como la imborrable, desactualizada y permanente información que circula sobre las personas en la Red, constituyen las mayores amenazas y riesgos que afectan a la gestión de la personalidad de un usuario en el entorno digital.

Una entrada en la bitácora, un comentario en una red social, una foto u opinión en blog ajeno, una llamada de Skype, registros de correo electrónico y, entre otros, utilización de aplicaciones, deja la "huella digital" de su autor

Online

en Internet, su rastro electrónico que lo define como persona virtual, el rastro de su comportamiento, generando una percepción mejor cuanto más favorable es, conseguida mediante la acumulación de impactos y desarrollando un registro de contenidos de valor, propios y ajenos. Convertir conocimiento en contenidos reales, seguros, constructivos y útiles genera esta "huella digital" que describe al internauta, y que lo retrata de forma auténtica y positiva.

Mostrar la marca personal al exterior implica exponer la identidad digital. Esta implicación exige tener valores, motivaciones y objetivos nítidamente identificados, y manifestarlos en el desarrollo cotidiano de cada día y en las relaciones que se produzcan. Cuidar y definir claramente la identidad digital, destacando los atributos que nos singularizan a través de los medios sociales, es requisito imprescindible para una gestión activa de la reputación en la Red. Demanda identificar de forma clara el objetivo a alcanzar, el mensaje que se envía en la búsqueda de ese objetivo, el público destinatario del mismo y las plataformas que se utilizarán para ello.

La generación de acciones sobre la audiencia -conocidas como *call to action*- otorga relevancia a la marca personal. Su reconocimiento implica la recepción de confianza de los lectores y seguidores, así como la viralidad de los contenidos que incluye, favoreciendo la cimentación gradual e imparable de la marca personal y el incremento de influencia en la actividad que se domina.

El comportamiento que mostramos en Internet afecta a nuestra vida diaria y a las relaciones que mantenemos en los distintos entornos en los que se establecen las relaciones. Intereses, formas de interrelación, actitud, hábitos, estados anímicos o niveles de lenguaje, entre otros datos, son facilitados por la huella digital que configura la reputación digital de todos los nativos del ciberespacio, lo que "otros" dicen de uno en la Red, y configura su identidad. Mantener una línea clara en los contenidos, positivos y motivadores que se publican en la Red, acorde con la personalidad de cada uno, facilitará la creación de una buena imagen en aquel que nos lee y nos sigue, generando percepciones de valor.

Compartir un contenido en la Red implica perder el control sobre el mismo, dada la rapidez con la que se propagan los mensajes, por lo que es necesario cuidar el estilo aplicado a las publicaciones, y nunca perder el control sobre las informaciones que se proveen, con el objetivo de generar percepciones favorables a nuestra marca personal.

La gestión de la marca personal, y la reputación digital, corresponde a cada usuario, es su responsabilidad. Gestionar la visibilidad que se tiene en las redes sociales es ocuparse de la identidad digital, la forma en la que nos presentamos a través de las distintas comunidades de miembros, y la imagen que queremos proyectar. La ausencia de coherencia nos penaliza ante los demás. A la imagen va inevitablemente asociada la reputación.

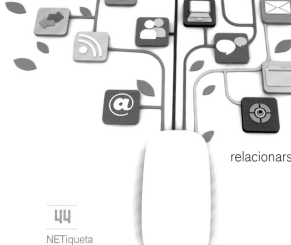

Generar y compartir contenidos, marcar favoritos, aportar respuestas y seguir a personas interesantes contribuyen a desarrollar la marca personal. Su cuidado exige conocer y controlar dos aspectos claramente diferenciados. Por una parte, los estándares -forma en la que se hacen las cosas-, objetivos y medibles; y, por otra, el estilo -manera de relacionarse con otros sujetos-, asociado a estados emocionales.

Se construye una marca personal en la Red para generar visibilidad, desarrollarse de forma colaborativa, y para crecer y trabajar en ella. Utilizar las redes sociales, como uno de los canales en los que proyectar la marca personal, con la intención de posicionarse como un profesional de reconocido prestigio en su área de influencia, demanda estar conectado, manteniendo conversaciones e insertando contenidos con asiduidad y afianzar en el mundo físico, conocido como el 1.0, las relaciones que se establecen en el entorno virtual, 2.0.

Revisar la política de privacidad configurada en los distintos perfiles que se mantienen en las redes sociales ayudará a mantener la autenticidad y coherencia, entre lo que somos y lo que perciben de forma unitaria nuestros seguidores y contactos.

La utilización de la misma identidad digital, fácil de recordar, en todos los perfiles mejorará el posicionamiento de las marcas, por lo que es fundamental recurrir a un nombre fácilmente identificable para generar su evocación.

38- Meléndez (2014) afirma que su denominación en las redes sociales es "postureo". Término candidato a palabra del año, en base a criterios lingüísticos y de actualidad, por la Fundación del Español Urgente, Fundéu BBVA, que finalmente conquistó el vocablo selfi. Disponible en (http://www.fundeu.es /noticia/postureo-selfi-y-abdicar-candidatas-a-palabra-del-ano-de-la-fundeu-bbva/). Consultado el 13 de noviembre de 2015.

Los motes, sobrenombres o apelativos forman parte de la cultura popular, constituyen una referencia para las personas con las que se mantiene contacto[38]. En origen, cumplieron la función del apellido. La documentación notarial a partir de la Edad Media provoca la fijación de los apellidos, en primer lugar, de los cargos eclesiásticos y miembros de la clase alta.

En entornos poblacionales pequeños, "solía sustituirse el nombre propio de cada uno por un sobrenombre, mote o apodo que los convecinos se ponían unos a otros, haciendo gala de su ingenio y buen humor. Ingenio para ponerlos; buen humor para aceptarlos" (Val, s.f.). Aunque impuestos y en ocasiones malintencionados en su origen, suelen tener un efecto diferenciador positivo. Con las redes sociales, los motes se convierten, por convicción personal, en la marca que nos define.

Participar de forma ética en el entorno web es una condición *sine qua non* para la gestión adecuada de la identidad digital. En el mundo digital, al igual que en el mundo físico, cada sujeto debe mostrarse como es, y reflejar la realidad que le caracteriza a través de una presencia coherente. La marca personal es la fiel imagen de uno mismo.

Se dice que "el contenido es el rey" en las redes sociales y "la escucha activa es la reina". Escuchar y compartir son habilidades sociales y lingüísticas básicas en los entornos digitales.

Las necesidades y posibilidades de cada uno determinan la generación de contenidos en la Red a través de comentarios, opiniones, críticas, etc. Una vez adquiridas las herramientas de escucha, los objetivos de cada sujeto determinarán el tipo de conversación que fomenta en las distintas comunidades de miembros, potenciando los puntos fuertes, fortaleciendo los débiles y aprovechando las distintas oportunidades que la Red ofrece para impulsar la marca personal.

Una recomendación no escrita, respetada por todos aquellos que desean potenciar su marca personal, aconseja: "Si quieres que tu marca sea importante para las personas, las personas deben ser importantes para tu marca".

COMMUNITY MANAGER

LOS *INFLUENCERS* Y LOS *COMMUNITY MANAGER*

Internet ha provocado el nacimiento de nuevos términos y profesiones, asociadas a la gestión que empresas y particulares hacen de su marca personal, en los distintos entornos digitales.

Imagen y reputación son dos términos que se pueden definir desde la esfera del emisor o la esfera del receptor, dentro de un proceso de comunicación. En el primer caso, es un activo propiedad de quien las gestiona, que puede controlarlas o manipularlas. En el segundo, dependería de la interpretación que los receptores, "sujetos creadores", hacen de ellas. Capriotti (2014) afirma que existen varios enfoques para su estudio. Uno de ellos sostiene que ambas expresiones son la evolución de un mismo concepto; otro, considera la imagen desde el punto de vista del emisor y la reputación desde el del destinatario, adjudicando diferencias entre ambas. Coyuntural, efímera y no objetivable definirían a la imagen; estructural, duradera y objetivable detallarían las características de la reputación.

INFLUENCE IS POWER

La RAE denomina influyente al conocido en Internet como *influencer*, a aquella persona "que influye", "que goza de mucha influencia"[39]. Un *influencer* es una persona con grandes conocimientos en una materia concreta que goza de reconocida credibilidad y genera, continuamente, contenidos interesantes y novedosos que sirven de inspiración para otros usuarios, aunque también comparten otros ajenos a su autoría.

Capaz de formar una opinión o motivar una acción, merced a la poderosa red de contactos tejida a su alrededor que le permite distribuir la información de forma eficaz, el interés del *influencer* se apoya, además de en su capacidad para influir en grandes audiencias, en su capacidad para hacerlo en parcelas tematizadas.

El conocimiento de un tema -por posición o experiencia-, el acceso a la información -rápido, privilegiado y fiable- y la generación de confianza, son sus señas de identidad. Los factores principales que miden si un usuario es un creador de opinión, un *influencer*, son las conversaciones que lleva a cabo y el círculo en el que se "mueve" en las redes sociales. Su número de seguidores suele ser elevado, pero no es una cualidad imprescindible para gozar de este reconocimiento como experto en una materia.

Razones de carácter tecnológico y social detallan la diferencia entre los términos influyente e *influencer*. La primera, se centra en la naturaleza de

39- En sus dos acepciones. Disponible en (http://lema.rae.es/drae/?val=influyente). Consultado el 9 de octubre de 2015.

TIPOS DE INFLUYENTES:
- Defensores
- Embajadores de marca
- Ciudadanos
- Profesionales
- Celebridades

40- Personas con una percepción positiva de la marca a la que defienden y elogian sin afiliación a la misma.

41- Personas, generalmente líderes de opinión, que guardan afiliación con la marca con la que se implican emocionalmente, compartiendo misión y visión.

42- Sujetos independientes, sinceros y comprometidos, sin vinculación a marcas ni motivaciones económicas.

43- Sujetos, con autoridad, que gozan de estatus y reconocido prestigio, con amplias comunidades en redes sociales. Sus mensajes son muy comentados o compartidos,

44- Figura pública que goza del estatus de "famoso". Tiene elevada capacidad de recomendación.

sus comunicaciones, en un territorio *offline* para el primero y *online* para el segundo. Desde un punto de vista social, otorga poder de opinión y decisión al influyente, y liderazgo en una parcela concreta al influencer.

Un *influencer* es un experto en el que se confía para alcanzar notoriedad o viralidad al estar presente en distintas redes sociales, y en la mayoría de las ocasiones en los medios digitales, solucionando cuestiones planteadas por las comunidades en las que interactúa y dirigiendo un blog, bien posicionado en la temática que le caracteriza, en el cual inserta contenido de interés de autoría propia o ajena. Audiencia, influencia y autoridad son los indicadores que le caracterizan.

Con vocación y carisma para influir, inquietud por conocer nuevas perspectivas o acontecimientos y capacidad para inducir, no imponer, contenidos de calidad o ideas sólidamente afianzadas involucrando a su audiencia, haciéndole sentir parte de la idea, hecho o acontecimiento, estos expertos conforman un colectivo poderoso de Internet.

Nivel de afiliación y poder, o tipo de influencia, suelen ser los factores clasificadores de los *influencers*. Una clasificación habitual los incluye en seis tipos diferentes: el líder de opinión (el más frecuente), el comunicador (suelen ser reconocidos autores de bitácoras), el explorador (buscadores de tendencias), el consumidor (apasionado de los productos o servicios novedosos), la celebridad (personaje conocido con elevado número de seguidores convertido en el megáfono de una marca) y el reportero (siempre al tanto de las últimas novedades).

El Word of Mouth Marketing Association (2013) distingue 5 tipos de influyentes: defensores[40], embajadores de marca[41], ciudadanos[42], profesionales[43] y celebridades[44].

Otro término íntimamente ligado a Internet y a la Web 2.0 es el de Community Manager (CM). La Asociación Española de Responsables de Comunidad (AERCO)[45] lo define como: "Aquella persona encargada o responsable de sostener, acrecentar y, en cierta forma, defender las relaciones de la empresa con sus clientes en el ámbito digital, gracias al conocimiento de las necesidades y planteamientos estratégicos de la organización y los intereses de los clientes. Una persona que conoce los objetivos y actua en consecuencia para conseguirlos".

Un Community Manager es un profesional que genera presencia activa en Internet, manejando la reputación de una marca en las redes sociales. Conoce a la competencia, identifica los intereses de su comunidad en torno a la marca, detecta oportunidades de negocio y está al tanto de los últimos avances y tendencias tecnológicas. Como responsable del desarrollo y mantenimiento de la marca a la que representa, escucha lo que los clientes dicen de la misma, define estrategias de contenidos aplicando herramientas que la consoliden, y responde a los usuarios que interactúan en las redes sociales. Con el objeto de controlar el rendimiento de las comunicaciones digitales, mide la interacción entre la marca y la comunidad en la que se inserta y con la que está permanentemente conectada, previene problemas institucionales y genera rentabilidad directa mediante bases de datos.

45- Asociación española de responsables de comunidad y profesionales *social media*.

COMMUNITY
MANAGER

46- Véase Capítulo 9. Abreviaturas habituales en Internet.

El Community Manager acerca la marca a las personas "humanizándola" y fidelizando consumidores, identifica tendencias que incrementan la capacidad de comunicación de una empresa, logrando mayor eficiencia en el mensaje que transmite, y marca el tono de la comunicación digital. Se le atribuye un puesto de gran valor en una empresa. Se relaciona con otros *influencers* que operan en su sector y con los usuarios con los que entable relaciones.

Entre los versátiles perfiles que presentan los Community Manager se distinguen los estrategas, los comunicadores, los documentalistas y redactores, los analistas, los creativos, los SEO/SEM[46] y los diseñadores.

Habilidades directivas y sociales, actitud abierta y accesible, rápida capacidad de análisis y respuesta, planificación, creatividad, sentido común, pasión por las nuevas tecnologías e Internet y conocimiento tanto de las redes sociales como de las herramientas adecuadas para operar en ellas son las cualidades que se les exige a estos comunicadores sociales de las bondades y valores de una marca.

EVOLUCIÓN Y CARACTERÍSTICAS DE LAS REDES SOCIALES

Las redes sociales protagonizan la comunicación personal en el siglo XXI. Por una parte, posibilitan el incremento de la red de contactos y, por otra, favorecen el nacimiento de grupos que mantienen intenciones y propósitos semejantes. En un mundo cada vez más interdependiente, revelan las conexiones entre los sujetos, objetivo y fin de la tecnología en general y de las redes sociales en particular.

Internet permite poner en contacto a personas que comparten relaciones de parentesco o amistad, intereses comunes, conocimientos, etc. mediante el acceso a herramientas que facilitan vínculos con sujetos afines. Los objetivos a alcanzar, el público destinatario, las necesidades que se desean satisfacer, los recursos empleados y el conocimiento de los contenidos, determinarán la gestión y presencia de cada sujeto en las redes sociales.

Los avances tecnológicos han propiciado cambios sociales, económicos, políticos, culturales, etc., transformando los modelos de negocio y de comunicación. Han hecho que el mundo en el que vivimos se reconstruya. Se conoce como "generación puente" a aquella que ha pasado de relacionarse e interactuar en un medio analógico a hacerlo en un entorno digital.

El vertiginoso avance que ha experimentado la tecnología se ha materializado en el uso masivo de los móviles inteligentes, la conversación en 140 caracteres, el marcado de "Me gusta"

o "favorito", la utilización del WhatsApp (en detrimento del SMS), la adquisición de noticias a través de medios e interlocutores diferentes y, entre otros, el acceso a los contenidos musicales, videos o fotografías que triunfan en la Red. Todo ello ha provocado que pocos escapen al efecto de las redes sociales. La conexión permanente entre usuarios en las comunidades, establecida de forma horizontal, ha desdibujado el rol de autor-lector y ha facilitado el conocimiento de información relevante con anterioridad a la publicación en los medios de comunicación.

Las redes sociales son comunidades *on line* de personas que comparten intereses o actividades en las que los usuarios distribuyen e intercambian contenidos propios y ajenos con fines de ocio, educativos o profesionales. Son grandes instrumentos de información y concienciación que desarrollan tres funciones principales: puesta en común del conocimiento, integración en

distintas comunidades, y colaboración entre los miembros que las integran. Destaca como valor añadido la posibilidad de formalizar redes informales de contactos, a través de las relaciones que mantienen nuestros seguidores.

Las comunidades[47] de miembros están definidas por unos elementos comunes que las caracterizan: objetivos[48], identidad, reconocimiento, normas[49], medio, jerarquía, grado de compromiso y ejercicio del liderazgo.

La principal clasificación que se produce en las redes sociales diferencia aquellas que se sustentan en las personas, y las relaciones directas que mantienen entre ellas, y las que se apoyan en contenidos, protagonizadas por el material que se comparte. En función de su uso, podemos distinguir entre redes generalistas y redes profesionales.

El ingreso en una red social requiere una dirección de correo electrónico y se realiza mediante registro gratuito, cumplimentando ciertos datos personales. Una vez hecho, se buscan contactos entre los miembros registrados por nombre y apellidos, o a través de la agenda de contactos del correo electrónico facilitado para la inscripción.

Las comunidades de miembros nacieron bajo la premisa de ser un entorno accesible donde compartir conocimientos y experiencias, relacionar individuos y establecer contactos. Internet es un poderoso medio de comunica-

47- Indistintamente se habla de redes sociales o comunidades de miembros. Sin embargo, Bauman y Lyon (2013) describen la diferencia existente entre ambos conceptos. La comunidad establece restricciones de actuación y obligaciones pero proporciona seguridad y confianza. La red, ideal para el ocio no la amistad, es el estandarte de la libertad de conducta.

48- Los objetivos son de dos tipos: común y personal, no tienen por qué coincidir.

49- Barreras de entrada, de promoción, comportamiento, recompensa y de salida.

55

ción e integración, dada su capacidad para incluir en un mismo contexto herramientas tan diversas como los chat, la mensajería, los foros, los juegos, etc., que permiten la participación virtual de los usuarios.

Las redes sociales se han convertido en instrumentos de comunicación y medios de difusión capaces de llegar a millones de personas en un tiempo récord. La participación en una red social va unida a la creación de hábitos como provisión de contenidos, frecuencia de redacción y tono de los mensajes, etiquetado de contenidos, plan de publicación y seguimiento, y monitorización.

Uso funcional, recompensa emocional, construcción de un estatus social propio, creación de identidades (exageradas o alternativas a la real), comunicación sin límites físicos, geográficos, espaciales o temporales, ampliación del área de

acción y relación, mantenimiento de contactos, desarrollo de nuevas relaciones, compartir intereses, aprender de la diversidad cultural de los participantes, reforzar el sentimiento de comunidad, practicar una forma de comunicación lúdica, pertenencia a un grupo, fomento de encuentros sociales y profesionales en un medio físico y la oportunidad de alcanzar el éxito, son las razones que esgrimen los usuarios de los redes sociales para formar parte de las mismas.

Varios autores[50] sostienen que las redes sociales, como impulsoras de las relaciones interpersonales, se apoyan en la "teoría de los seis grados de separación", propuesta en 1929 por el escritor húngaro Frigyes Karinthy[51], que estudiaron el psicólogo social Stanley Milgram[52] y el sociólogo Duncan Watts[53], según la cual dos personas cualesquiera están conectadas a través de un máximo de seis niveles de conexión.

El propio Watts y otros autores, expertos en redes e interacciones sociales, como Danah Boyd mantienen que los contactos relevantes se mantienen a un máximo de dos grados de separación.

LinkedIn es el perfecto ejemplo de una red social, profesional, basada en la teoría expuesta al indicar sus usuarios a qué personas conocen, qué contactos pueden conocerlas, incluso conocer a alguien que sepa de esos sujetos. Científicos de la Universidad de Milán cifraron (Santa, 2015) en 3 los grados de separación entre dos personas en LinkedIn, 4,67 para Twitter y 4,74 en Facebook.

Edad, procedencia, ocupaciones, creencias, prejuicios, aficiones, actitudes, conductas, niveles sociales, culturales y de formación, etc., es la información que facilita el interesado a través de su perfil, con la intención de lograr conectar emocionalmente con su público objetivo.

50- Subiela y Hernández (2012) y Fernández (2004), entre otros, apuntan que aunque las redes sociales no estaban inicialmente pensadas para su utilización por parte de las empresas, éstas no han desaprovechado la oportunidad de emplearlas básicamente por la veracidad que otorgan los usuarios a los contenidos que comparten sus contactos.

Enter

51- Aparece en el cuento "Cadenas" de la recopilación de historias "Todo es diferente". Se habla de un mundo imaginario donde las personas estarían unidas entre si por una simbólica cadena de cinco eslabones.

52- Realizó en 1967 una investigación que denominó "Experimento del pequeño mundo" que confirmó la hipótesis de los seis grados de separación.

53- Recogida en su libro "Six Degrees: The Science of a Connected Age", publicado en 2004.

Las relaciones que se mantienen en los medios físicos demandan tiempo y dedicación. El contacto interpersonal, satisfactorio desde el punto de vista del acompañamiento, plantea riesgos y conflictos prácticamente ausentes en las relaciones rápidas, provisionales y frágiles que se mantienen en entornos digitales. Pese al incalculable aumento del número de amigos, que teorizan las redes sociales en su ánimo de captar seguidores asegurando la ausencia de limitaciones a la sociabilidad, el antropólogo evolucionista Robin Dunbar[54] defiende el que denominó Número Dunbar, el número máximo de contactos, "relaciones significativas", que una persona es capaz de mantener que cifró en 150.

Mark Granovetter (citado en Fernández, 2004) fue el primer sociólogo que habló de vínculos fuertes y débiles entre los miembros de una comunidad, y afirmó que en función de los fines que motiven la pertenencia a una red, se establecerán unos u otros. La actividad y número de contactos, la conexión y cercanía entre ellos, y la capacidad de transmitir información fijan la importancia de las personas en los grupos sociales en los que se integran. El consumo de contenidos en la web viene determinado por las necesidades personales, los intereses profesionales y los factores externos, entre los que cabe destacar el lugar de residencia.

El valor añadido de las redes sociales estriba en su facilidad para relacionar entre sí a un elevado número de personas; el incremento de las probabilidades de culminar un encuentro virtual con aquellos que se desea localizar, o desean localizarnos mediante el acceso de los contactos establecidos, genera confianza entre los mismos y supone la aportación de valor a las redes informales de contactos al favorecer su visualización. Además, la transparencia que demanda la participación y cooperación entre los distintos usuarios, reduce los grados de separación entre ellos.

http://

El gran poder e influencia del que goza la imagen ha provocado que las redes sociales, al no atender a aspectos exclusivamente visuales, difundan sus contenidos como medida para impactar a su público. Incluso los reclutadores laborales buscan en ellas candidatos potenciales, activos o pasivos, en línea con la cultura de la empresa a la que representan. Twitter, LinkedIn, Instagram o Facebook interesan a los departamentos de Recursos Humanos para averiguar datos de los candidatos, y valorar sus habilidades, basándose en la autenticidad que les confieren los contenidos que publican y las interacciones que realizan.

Las redes sociales han provocado un significativo cambio en las pautas sociales de los actores que la frecuentan merced a la facilidad de acceso en prácticamente cualquier lugar del mundo, con conexión a Internet.

54- Número alcanzable en condiciones de presión intensa de supervivencia o necesidad absoluta, con incentivos amplios de socialización centrada en el lenguaje.

En un estudio publicado en la revista "Informática y comportamiento humano", los investigadores Elliot Panek, Yioryos Nardis y Sara Konrth, de la Universidad de Michigan (citados en Garrido, 2013) explicaron en su hipótesis de partida que los medios sociales reflejan y amplifican los niveles de narcisismo, concluyendo que "Facebook es un espejo y Twitter un megáfono de la obsesión cultural con uno mismo". Los usuarios de mediana edad, entre 45 y 50 años, publican con mayor frecuencia en Facebook y el público joven, universitario, en Twitter. Ambos utilizan las redes sociales para aumentar sus egos, y controlar las percepciones que generan en los demás.

Facebook e Instagram, como espacios de comunicación virtual en tiempo real, son las que crean, en mayor medida que otras comunidades de miembros, esta faceta de amor propio, que se ha visto potenciada por el uso de los selfis y por la aparición de las cámaras frontales. Aunque no faltan voces que con-

ceden a la red de las historias visuales el papel de rebelde silencioso ante las imágenes casi perfectas, e irreales, que inundan las pantallas de teléfonos inteligentes, tabletas y ordenadores.

El narcisismo, "excesiva complacencia en la consideración de las propias facultades u obras"[55], se manifiesta, entre otros rasgos característicos, inundando las redes con las fotos de sus protagonistas en una búsqueda constante de exposición, admiración, valoración, reconocimiento, satisfacción ajena de necesidades propias, notoriedad, privilegios, etc. por parte del grupo al que pertenecen.

El narcisismo, provocado, alentado o rasgo común en las redes sociales, ha sido analizado por investigadores de diversas universidades (Stanford, Berkeley, Harvard, Western Illinois o Penn State, entre muchas otras). Un estudio (Vázquez, 2013)[56] acerca del comportamiento de los usuarios de Facebook detalló tres tipos propios de la citada red: narcisistas exhibicionistas[57], narcisistas con sentimientos de superioridad y narcisistas autoritarios, no obstante lo cual, defiende que las dos últimas categorías, superioridad y autoritarismo se observan en mayor medida en Twitter.

En este sentido, la autora del controvertido texto "Generación Me"[58], la psicóloga Jean Twenge, argumenta que las generaciones jóvenes, los millenials, son las más extrovertidas e individualistas, llegando a resultar narcisistas. El empleo de la primera persona del singular caracteriza[59] sus intervenciones.

Lo cierto es que la gratificación inmediata (mediante los "Me gusta" de Facebook, Twitter e Instagram y las recomendaciones de LinkedIn) y la amplia audiencia, que garantiza público permanente, facilitan la egolatría y el exhibicionismo,

55- Definición del Diccionario de la RAE. Rescatado el 12 de noviembre de 2015 de http://dle.rae.es/?w=narcisismo&o=h

56-Publicado en Computers in Human Behavior.

57-Actores que pasan mucho tiempo conectados.

58-59- Twenge, J. (2006). "Generación Me". New York: Free Press.

60- Pionera en el estudio de las redes sociales. Más información disponible en (http://charleneli.com). Consultado el 14 de noviembre de 2015.

61- Referente mundial en el uso social de la tecnología. Disponible en (http://blogs.forrester.com/josh_bernoff). Consultado el 14 de noviembre de 2015.

62- Sociólogo, filósofo y ensayista polaco y uno de los grandes pensadores la actualidad. Premio Príncipe de Asturias de Comunicación y Humanidades 2010, junto al sociólogo Alain Touraine. Creador del concepto "modernidad líquida".

factores que no deberían impedir el respeto a las reglas y códigos de cada comunidad, y hacia los interlocutores que en ella actúan.

Se consideran la adicción a la tecnología, el narcisismo y la banalidad las consecuencias iniciales de la creación de hábitos provocado por las transformaciones que se experimentan por la evolución tecnológica.

Mantener unas relaciones interpersonales sólidas es un factor fundamental para disfrutar de la ansiada calidad de vida, y tener buena salud física y psicológica. El mantenimiento de amigos virtuales incrementa igualmente los niveles de esperanza de vida, sobre la hipótesis de la responsabilidad por los demás y la mejora del cuidado de uno mismo.

Charlene Li[60] y Josh Bernoff[61] (2008) destacan que la importancia de las comunidades de miembros radica en las relaciones que se establecen entre ellos. Los analistas hablan del "efecto casa de cristal" que suponen las redes sociales como ejemplo de comunicación por la elevada participación, la velocidad a la que circula la información en tiempo real y la transparencia de los contenidos.

Enrique Dans es un ávido defensor del papel de la tecnología a la hora de cambiar hábitos, usos y costumbres que afectan a la forma de vivir de los seres humanos. Opinión que comparten Bauman y Lyon (2013) al afirmar que "la llegada de Internet convirtió el existir en el mundo en tangible e irrefutable". En particular, Bauman[62] afirma que se ha alcanzado el objetivo de la glocalización[63].

Dolors Reig[64] (2012) destaca la cualidad de facilitadoras de participación de las comunidades a las que denomina "redes sociables", afirmando que

cuanta mayor sociabilidad proporcionen mayor será su éxito. Defiende que compartir es la premisa fundamental que caracteriza a la sociedad 2.0 y asegura que, con independencia del lugar, de la marca y de las intenciones, el valor de la red lo sustentan las personas que la integran.

La socialización de las personas en entornos digitales, y el espíritu de colaboración que se produce entre ellas, provocan nuevas necesidades, facilitan motivaciones y promueven comportamientos que priman el intercambio de ideas, la creatividad y la innovación. Las comunidades sociales, y la enorme influencia que ejercen en las conductas de las personas, fomentan la aparición de nuevas escalas de satisfacciones personales. Seguridad, tranquilidad, facilidad y comodidad, sumadas a la ausencia de condicionantes y esfuerzos, han convertido a las redes sociales en plataformas en las que se mantienen las relaciones personales a corto plazo sobre la base del compromiso provisional.

63- "Glocalización es la palabra que designa una relación de amor-odio en la que se mezclan la atracción con la repulsión: es un amor que suspira por la proximidad, mezclado con un odio que ansía la distancia".

64- Reig afirma que los individuos que se interrelacionan en las redes sociales son genuinos y pasionales, tolerantes, creativos y flexibles que se caracterizan por su sensibilidad y empatía, su familiaridad con la diversidad y promoción de la diversión individual o colectiva como método de aprendizaje.

FACEBOOK, LA RED "QUE CONECTA AL MUNDO"

El 4 de febrero de 2004 Mark Zuckerberg creó junto a Eduardo Saverin, Chris Hughes y Dustin Moskovitz la red social "The Facebook" con la intención de ofrecer una herramienta de comunicación a todos los estudiantes de Harvard. Al año siguiente se eliminó el artículo "The" de su denominación, llamándose "Facebook".

Facebook es el nombre del directorio que elaboran las universidades norteamericanas, a principios de curso escolar, con el nombre y la fotografía de sus estudiantes, con la intención de facilitar el contacto entre los mismos.

Un mes después de su nacimiento, las universidades de Stanford, Columbia y Yale se suman al proyecto. A finales de año, la mayor parte de las universidades norteamericanas y canadienses disponían de Facebook. México, Reino Unido, Irlanda, Nueva Zelanda y Australia serían los siguientes países en unirse a la red antes de su apertura, el 26 de septiembre de 2006, a todas aquellas personas de más de 13 años que contaran con una dirección de correo electrónico. "Bienvenidos a Facebook, todos", es el anuncio que publica la red social en su muro.

En su evolución destacan el desarrollo de la plataforma que permitiría su utilización en teléfonos móviles, en enero de 2007; la alianza con Skype, en el verano de 2011; en septiembre de 2012 cierra la compra de Instagram, con el objetivo de incrementar la relación con el público adolescente —los millenials son los usuarios mayoritarios–; en mayo del mismo año debuta en bolsa, y en otoño alcanza la cifra de 1000 millones de usuarios; y, la compra de WhatsApp en octubre de

2014, año en el que celebra su décimo aniversario con más de 1.200 millones de personas registradas.

En el décimo aniversario de su creación, Mark Zuckerberg afirmó que Facebook se centra en servir a todas las personas y grupos de usuarios de todo el mundo.

Desde su nacimiento hasta la actualidad, Facebook ha sufrido cambios estéticos y funcionales a los que hay que añadir nuevos servicios. A finales de 2015 ha puesto a disposición de sus usuarios nuevos emojis, a los que ha denominado "reacciones".

Facebook España la describe como "la red social que conecta al mundo". Red social visual, divulgativa, emocional e informativa con unas funcionalidades, complementadas con un conjunto de aplicaciones, que la convierten en una plataforma enormemente viral con funciones de carácter tanto lúdico como profesional. El uso que se le vaya a dar determinará el tipo de cuenta creado: perfil personal o página, fan page. Los principales servicios que ofrece son muro, chat, lista de amigos, grupos y páginas y juegos. Las redes sociales, reflejo de la actividad social de los usuarios, refuerzan el sentimiento de permanencia y el de habilidades sociales.

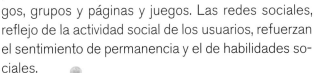

Son numerosas y variadas las razones esbozadas para usar Facebook: facilita una amplia red de contactos de diversa índole (personal, social, empresarial, etc.), disponibilidad de recursos para organizar eventos (homenajes, charlas, conciertos, presentaciones de libros, etc.), búsqueda y puesta en contacto con compañeros o familiares de los que no se tiene noticia, creación de grupos que comparten intereses comunes, integración de recursos que garantizan comportamientos lícitos y apropiados o, entre otras, posibilidad de participar en juegos en línea.

Otro de sus principales atractivos son las opciones que ofrece el chat: escribir o realizar videollamadas, incluir emoticonos y añadir amigos a la charla. Caracterizar a los amigos, en mejores amigos, familiares, conocidos, colegas, sujetos con acceso restrictivo, etc., permite asignar distintos niveles de privacidad a las publicaciones que se realicen.

Pulsar el botón "Me gusta", aportar comentarios y compartir publicaciones son los objetivos de todos los interactuantes en esta red popular, la favorita de los internautas y de las marcas que tienen seguidores en el medio *offline*.

Facebook es una red social que facilita la relación en entornos conocidos y en círculos cercanos. Permite conocer todo lo que le sucede a las personas con las que se mantiene contacto, y compartir con ellas datos relevantes de la vida de cada usuario.

Mantener la privacidad en Facebook, y evitar que los contenidos de los usuarios se difundan de forma incontrolada, se consigue revisando la configuración de seguridad, biografía y etiquetados y bloqueos; escogiendo al público destinatario, creación de lis-

tas de amigos en función del nivel de confianza; comprobando cómo se visualiza el perfil propio en los muros de otras personas, y evitando que el perfil aparezca en buscadores.

En 2012 la Universidad de Western Illinois[65] realizó un análisis que reveló la relación directa entre la cantidad de amigos que una persona tiene en Facebook y su nivel de narcisismo socialmente disruptivo, caracterizado por elevado nivel de vanidad, superioridad, exhibicionismo y la profunda creencia de ser merecedor de respeto y el derecho a manipular en beneficio propio.

Christopher Carpenter[66] analizó la personalidad de los actores de redes sociales. Advierte de la posible comunicación negativa que podría haber en Facebook y del tipo de gente dependiente de la misma, destacando la importancia de estudio para descubrirla y concluyendo que la participación en la comunidad de miembros busca restaurar el ego.

Otra investigación[67] en este sentido, con resultados que contradicen los expuestos, realizada por los investigadores Gonzales y Hancock de la Cornell University, revela que Facebook aumenta la autoestima. La baja participación en Facebook tiene que ver con la autoestima de los usuarios. La caída de las interacciones de los usuarios con sus contactos, la escasa participación, afecta a los sentimientos de permanencia provocando la sensación de invisibilidad. El comportamiento como indicador de la autoestima que un actor posee, es la relación que defienden investigadores de la Penn State University[68] cuyos análisis determinan el vínculo directo entre autoestima baja y elevada monitorización, así como la eliminación de comentarios negativos por parte de este tipo de sujetos, con poca consideración hacia sí mismos.

El comportamiento de los usuarios de Facebook tiene efecto de reverberación, un lugar donde las palabras se escuchan repetida-

65- Pearse, D. (2012). Facebook's 'dark side': study finds link to socially aggressive narcissism. Recuperado el 12 de noviembre de 2015, de http://www.theguardian.com/technology/2012/mar/17/facebook-dark-side-study-aggressive-narcissism

66- Carpenter, C. (2011). Narcissism on Facebook: Self-promotional and anti-social behavior. Recuperado el 12 de noviembre de 2015, de http://www.sciencedirect.com/science/article/pii/S0191886911005332

67- Gonzales AL. &
Hancock JT (2011).
Mirror, Mirror on my
Facebook Wall: Effects
of Exposure to
Facebook on Self-
Esteem.
Cyberpsychology,
behavior and social
networking, 14 (1-2),
79-83 PMID: 21329447

68- Vázquez, K. (2013).
Narcisismo, común en
redes sociales.
Recuperado el 13 de
noviembre de 2015, de
http://www.vanguardia
.com.mx/narcisismoco
munenusuariosder
edessociales-
1839802.html

mente. Pronunciamos aquello que queremos escuchar. Se conoce a Facebook como la red que "lo cuenta todo": introducción de contenidos, modificación de portada o foto de perfil, comentarios personales o ajenos, inserción de fotografías o videos, convocatorias a eventos, etc.

Estudiosos de Social Media advierten de la pérdida del control de la vida privada que implica interactuar en esta red social, que cambia la política de privacidad a su antojo y atesora datos, pautas de comportamiento y elecciones de sus usuarios, sin su consentimiento ni conocimiento.

Facebook es una red personal y de ocio, que también utilizan las empresas para promocionar su negocio. La inclusión de textos largos, utilización de imágenes de baja calidad, pulsación de la opción "Me gusta" en los contenidos aportados, publicación -original o compartida- frecuente de comentarios

o imágenes absurdas, e invitaciones reiteradas al mismo evento, son acciones que deben evitarse en la plataforma.

El envío de mensajes -públicos y privados- a contactos y revisión de su actividad, mantenimiento de charlas, publicación de contenidos -fotos, videos, música, noticias, etc.-, hacerse fan o seguidor de una marca, escuchar música o visualizar videos, comentarios de la actualidad, juegos en línea, conocimiento de gente, participación en concursos y creación de eventos, son las principales actividades que se realizan en la comunidad. Constituyendo las fotografías el contenido que se reproduce en mayor medida y frecuencia, y el mantenimiento del contacto con los amigos la función prioritaria.

Facebook nació con la intención de conectar a individuos en un contexto universitario, vinculada a las circunstancias personales de las personas, que progresivamente va adaptando funciones que la relacionan, de forma simultánea, con entornos corporativos y comerciales. En la actualidad, se ha convertido en el escenario de socialización de sus miembros.

Se conoce como *likability* a la exaltación del "Me gusta". La conversión de su uso en un abuso suele poner de manifiesto la búsqueda de celebridad, o la intención de resultar encantador, sin contenidos de valor aportados que sustenten tal objetivo.

En otoño de 2015, la plataforma anuncia el lanzamiento de una novedosa herramienta que permitirá enviar videos e imágenes a las cadenas de televisión y formular consultas a la audiencia. El objetivo es, por una parte, hacer la competencia a Twitter, red número uno en este tipo de funcionalidad y, por otra, favorecer la retroalimentación con el espectador y con los medios.

A pesar de considerarse la red social más popular del mundo, investigadores de la Universidad de Princeton han realizado un estudio[69] de la evolución de Facebook aplicando un modelo epidemio-

69- Los mismos investigadores realizaron el estudio de MySpace. Los resultados vaticinados coincidieron con la evolución de la red social.

70- Saul, (2014). 3 Million Teens Leave Facebook In 3 Years: The 2014 Facebook Demographic Report. Recuperado el 13 de noviembre de 2015, de https://isl.co/2014/01/3-million-teens-leave-facebook-in-3-years-the-2014-facebook-demographic-report/

lógico, llamado SIR. Su análisis concluye que el uso de Facebook "remitirá" de forma alarmante entre 2015 y 2017, entre otras causas, por el exceso de publicidad e intereses comerciales. La plataforma social, importante cosechadora de datos, información y gustos personales, está cerca de su techo de usuarios según el estudio realizado por iStrategy-Labs[70] revelando que ha perdido más de seis millones de personas registradas de entre 13 y 24 años, por considerarla "un producto sobredimensionado y pasado de moda".

Zygman Bauman sostiene que el miedo a la soledad justifica el rol que juegan las redes sociales en la vida moderna. Atribuye el éxito de Facebook a haber sido capaz de hacer creer a la gente que "nunca está sola" favoreciendo su vigilancia voluntaria. En esta línea, el sociólogo y académico bielorruso Evgeny Morozov afirma que todo lo que ocurre en nuestras vidas lo transmitimos a través del móvil o la tableta en una "delegación" de responsabilidades, voluntaria, sin precedentes.

Cada vez pasamos más horas delante de la pantalla de un móvil, una tableta o un ordenador, lo que lleva a pensar que muchos usuarios hacen de su vida, y de las relaciones que mantienen en un entorno *online*, una zona ausente de conflictos. Facebook transmite la parte más humana de las personas, favoreciendo la conexión en un plano cercano. El uso dado a la tecnología determinará la influencia ejercida sobre las mismas.

TWITTER, LA RED DE MICROBLOGGING

Evan Willliams, Christopher Isaac Stone -conocido como "Biz"- y Jack Dorsey[71], antiguos empleados de Google, idearon a principios de 2006[72], como parte de un proyecto denominado Odeo, la conocida como red de microblogging, nuevo concepto en el campo de la comunicación en el que el diálogo es protagonista, y donde Twitter[73] es el gran referente. La versión en español aparece en noviembre de 2009.

Twitter pone en contacto a personas conocidas y desconocidas con algún interés en común, y les acerca a la información, por su enorme poder de expansión y la constante conversación entre los usuarios y las marcas en una plataforma de inteligencia ambiental.

El concepto de "inteligencia ambiental" o "conciencia ambiental" se atribuye a la posibilidad de crear entornos cercanos entre los usuarios al permitir la Red conocer las actividades que realizan las personas de un mismo círculo personal, social o profesional.

Conocer a nuevas personas, ampliar la audiencia objetivo, compartir contenidos propios y ajenos —en un recomendable porcentaje 20%-80%, respectivamente-, dialogar con otros internautas, adquirir información y crear debate son algunas de las oportunidades que facilita la red de los círculos amplios.

Twitter limita el uso de las palabras que admite a 140 caracteres, información, presentada en disposición cronológica, que se completa con enlaces que otorgan valor añadido a la publicación. Sus principales características son apertura, inmediatez,

71 "El 21 de marzo de 2006, a las 9:50am, Jack Dorsey envía el primer mensaje que luego será conocido como "tweet" o "tuit" con el texto: "just setting up my twttr" en español (solo la creación de mi twttr)" – Disponible en (http://helisulbaran.blogspot.com.es/2013/07/15-de-julio-2006-se-lanza-publicamente.html?utm_content=bufferb4128&utm_medium=social&utm_source=twitter.com&utm_campaign=buffer). Consultado el 15 de noviembre de 2015.

72- En el proyecto también colaboraron EvanHenshaw-Plath y Noah Glass.

73- El servicio, que se llamaba Twttr, apareció de forma prácticamente accidental. Los miembros del equipo de Odeo se intercambiaban mensajes de ciento cuarenta caracteres para saber dónde estaba cada uno, y qué labor estaban realizando.

74- "Modificated tweet": tuit modificado.

75- Disponible en (https://blog.twitter.com/2009/whats-happening). Consultado el 15 de noviembre de 2015.

76- En inglés se ha impuesto "What's happening?", en francés se utiliza "Quoi de neuf?"

agilidad, ubicuidad y viralidad. Los mecanismos de la plataforma, y los hábitos que ponen en práctica los usuarios, la convierten en la protagonista del impacto social.

La estructura general de un tuit es un titular de texto, un enlace acortado y una etiqueta corta y clara, que define la temática, introducida por el símbolo #. La estructura de un retuit, manual o editado, es RT (MT)[74] seguido del símbolo de la arroba y el nombre y el tuit. Es habitual respecto de contenidos de personas de reconocido prestigio, o fuentes de confianza.

"¿Qué estás haciendo?" era la pregunta que planteaba la plataforma en sus inicios, provocando la inclusión de informaciones intrascendentes, triviales o frívolas. A finales de 2009 la consulta se reorientó planteando la cuestión: "¿Qué está pasando?[75] al considerar que se aproximaba más a la actuación de los usuarios, empresas u organizaciones. Red que mantiene las diferencias idiomáticas al condicionar la pregunta[76] que se plantea al usuario en función del idioma de configuración utilizado.

David Crystal (2013)[77] destaca que el resultado de la primera consulta formulada era "una serie de tuits de carácter introspectivo, que usaban numerosos pronombres en primera persona y verbos en presente". Con el replanteamiento de la pregunta se consiguieron "los tuits más extrovertidos, con numerosos pronombres en tercera persona y mayor variedad de formas verbales".

Rapidez en la transmisión de la información, posibilidad de contactar con gente interesante, inserción de contenidos de calidad, fuente de tráfico de información y opción de crear listas temáticas, son sus puntos positivos. Twitter es una herramienta muy potente para la difusión del mensaje.

Mark Schaefer (2014)[78] señala que las principales ventajas de la red son la posibilidad de establecer conexiones importantes, acceder y proporcionar contenidos útiles y la oportunidad de ofrecer ayuda, siendo una eficaz herramienta de promoción, generación de tráfico, desarrollo de productos y resolución de conflictos al actuar como "una caja de resonancia". Destaca Bauman, en referencia a la máxima de Descartes: "Pienso, luego existo", que el atractivo esencial de la red se resume en: "Me ven, luego existo".

Canal fundamental para compartir noticias de última hora, comentarios que favorecen la vinculación con las personas, o temas de interés y experiencias personales o comunes, y el conocimiento de cómo otras culturas o tradiciones valoran situaciones o hechos que ocurren a su alrededor, son otras ventajas de la red.

77- David Crystal es profesor emérito de Lingüística en la Bangor University. Autor, entre otros, de Language and the Internet (Cambridge University Press, 2001) e Internet Linguistics (Routledge, 2011).

78- Autor del libro más vendido sobre esta red social.

Como puntos negativos cabe citar la velocidad a la que crecen los rumores sin contrastar, las múltiples formas de incrementar el número de seguidores y el visible aumento de la automatización de los mensajes, que debilitan la comunicación humana y la profundidad de los vínculos que se establecen.

Twitter es un espacio social orientado al intercambio de ideas y la práctica de la conversación, donde personas con los mismos intereses interactúan con el objetivo común de formar redes. Se sigue a aquellas personas con las que se comparten intereses, o a las que tienen algo interesante que aportar; representantes de cuentas activas y participativas donde la descalificación, la repetición o el sectarismo, de cualquier tipo, no deberían tener cabida. Los participantes huyen de monólogos y de contenidos privados o irrelevantes, carentes de valor alguno.

Twitter es considerada una red social con vocación de medio de difusión y comunicación. Varias razones sustentan esta orientación: su capacidad para propiciar y mantener discursos colectivos, el ofrecimiento permanente de toda la actualidad, la revelación de contenidos interesantes bajo diversos formatos: artículos, noticias, etc., y el mantenimiento de los contactos. Es la plataforma preferida para la retransmisión de eventos.

El conjunto de acciones dirigidas a incrementar la visibilidad, y la generación de nuevos contactos, aconseja incorporar el nombre empleado en Twitter en las intervenciones -en las diapositivas de la presentación y en las tarjetas identificativas- del evento en que se participe, adjuntarlo en la firma de los correos electrónicos que se envíen, e incluirlo en las bitácoras o páginas web en las que se colabore. En este sentido, Schaefer (2014) recomienda crear momentos para compartir en la comunidad y ofrecer titulares durante la exposición, para su comentario en Twitter, facilitando así su seguimiento en línea.

Twitter es una poderosa herramienta de gestión de la marca personal, que permite estar en contacto con la actualidad informativa diaria, conocer los

sentimientos que generan las marcas, interactuar con clientes y proveedores, y mantener enriquecedores diálogos con personas desconocidas en el mundo físico.

Publicar contenido de forma regular, varias veces al día, con información interesante y relevante y compartir información de forma periódica, facilitará la ampliación del número de seguidores y la generación de posibles relaciones empresariales, según las cuentas que se sigan y los contactos que se mantengan.

Twitter ofrece la posibilidad de agrupar los contactos en listas[79], públicas o privadas, en función de las preferencias que cada persona configure. Su principal beneficio es mantener organizado el flujo de datos que proporciona la Red, la producción que los usuarios generan en la misma e informarse, de forma rápida y global, de la actualidad. Elaborar una comunidad de seguidores sólida demanda primar la calidad, los contenidos útiles, interesantes y actuales, frente a la cantidad de mensajes publicados. Los tuits que incorporan enlaces y/o imágenes generan mayor seguimiento que aquellos que carecen de los mismos.

Estar conectado no implica estar en contacto. Para generar y estrechar relaciones sociales en Twitter, originando confianza, se debe buscar la ocasión oportuna que justifique una felicitación o un comentario, ofrecer respuesta a las preguntas que se formulen, retuitear los contenidos interesantes o marcarlos como "Me gusta", lo que hace que la red experimente una actividad frenética dado el ritmo de crecimiento de los tuits generados por sus usuarios y el elevado número de peticiones de búsquedas diarias.

La asimetría es una característica que define a Twitter. Se sigue a aquellas personas con las que se desea mantener intereses, esta-

79- Las listas públicas son accesibles a todos los usuarios de la red y permiten suscribirse a las mismas. Las listas privadas solo son accesibles para el titular de la cuenta.

blecer contactos, acceder a la información que publican, etc. Y la práctica de la naturalidad, una de las premisas fundamentales en una red de enorme poder viral, que posibilita contrastar fuentes y cuestionar las informaciones recibidas con independencia del grado de confianza que se mantenga con el emisor de las mismas. Herramienta de gestión y captación de información, de desarrollo de la marca personal y de interacción, fuente de información y canal de comunicación.

Perfiles de partidos políticos, asociaciones, fundaciones, empresas y personajes famosos poseen cuentas oficiales en Twitter, incluso cuentas en las que no es posible identificar a su autor, por lo que se dice que "todo y todos" tienen cabida en ella.

Twitter es el espacio donde se discuten y debaten las noticias de actualidad, por lo que permite a sus usuarios mantenerse al día de los acontecimientos. Especialistas en comunicación y Social Media la consideran la "radio de las redes sociales", por ser las primeras horas de la mañana una de las franjas de mayor actividad en esta red, a la que la gente se conecta para estar informado de las últimas novedades.

Una de las principales diferencias entre Facebook y Twitter se atribuye a la reciprocidad −seguimiento mutuo- o ausencia de la misma, siendo otra los temas que se abordan y el tratamiento que reciben, más personal en Facebook, en contraste con el formato periodístico en Twitter. Investigadores, docentes y usuarios defienden que Twitter enseña a no opinar de nada que no se haya probado antes. Criterios apasionados, estrategia, respuesta emocional, obsesivo método por hacer subir el contador de seguidores… Lo

cierto es que en la red del microblogging se mantiene una conversación permanente sobre multitud de temas diferentes.

Uno de los valores de Twitter se sustenta en la televisión, medio a través del cual se incentiva la conversación en antena mediante *hashtags*[80]. Twitter ha transformado las audiencias televisivas convirtiéndolas en protagonistas activas, generadoras de una televisión más social y dinámica. A través de comentarios, opiniones y sugerencias, por medio de tuits y retuits, los participantes influyen en los contenidos y programaciones, modificando la medición del impacto de este medio y provocando el cambio de atención de la cuota de pantalla a la audiencia social.

Se achaca a la televisión el paso de una sociabilidad auténtica a una simulada o sucedánea, favorecida por la reciente aparición de la televisión social, o televisión inteligente, con unos usuarios permanentemente conectados. La web ha posibilitado la recuperación de una socialización relajada.

Las redes sociales no solo han modificado la forma de relacionarse las personas, la manera de recabar la información o la jerarquía de las noticias. En concreto, Twitter ha cambiado la forma de ver la televisión generando el fenómeno conocido como "segunda pantalla", que consiste en que los espectadores comentan los programas de su interés desde el momento de su emisión, e interactúan con los protagonistas de las series o películas de su elección. Un pujante instrumento de medición popular.

80- Etiquetas. Ver Capítulo 8. Lenguaje para moverse por la Red.

LINKEDIN, LA RED SOCIAL PARA PROFESIONALES

Linkedin es un sitio web orientado a negocios fundado por Reid Hoffman, Allen Blue, Konstantin Guericke, Eric Ly y Jean-Luc Vaillan el 5 de mayo de 2003.

Red profesional por excelencia, considerada un centro de negocios con una gran base de datos de profesionales; una herramienta de promoción profesional, útil para establecer conectividad entre profesionales de distintas especialidades en cualquier parte del mundo, hacer negocios y alianzas estratégicas. Es la comunidad ideal para establecer un primer contacto, que se fortalece en el entorno *offline*.

Presentarse públicamente como profesional, o experto en un área concreta; crear y ampliar la red de contactos; seguir a empresas de interés; unirse a grupos afines a los objetivos profesionales, o crear uno propio; buscar ofertas de empleo; publicar noticias de interés, compartir, comentar o recomendar; informarse de eventos, conferencias, etc. son algunas de las razones que motivan a los usuarios a abrir un perfil en LinkedIn.

Plataforma de networking y de generación de marca personal que se potencia con la inscripción en grupos −o la creación de uno propio-, el desarrollo de actividad frecuente −entre 4 y 7 publicaciones a la semana, con entradas propias y ajenas-, la generación de diálogo con aportación de valor y la creación de un blog.

Ofrecer espacios para la interacción, adquisición de información y estar al día de la actualidad son algunas de las ventajas de crear un grupo en LinkedIn -cada usuario puede administrar hasta 30 grupos-. El administrador debe ofrecer una atención lo más personalizada posible a sus miembros, ayuda a desarrollar el sentido de pertenencia; invitarlos a promocionarse,

fortalecerá la comunidad convirtiéndola en un referente; promocionar el grupo a través de otras redes sociales, páginas web propias, etc.; buscar personas que colaboren en la dinamización de los contenidos, y del grupo; y, agradecer públicamente la participación de todos los integrantes.

LinkedIn permite unirse a 100 grupos[81] de interés, con un máximo de 20000 miembros cada uno. Entre los distintos beneficios que proporciona formar parte de los mismos, destacan: distinguirse del resto de usuarios, destacar como líder, conocer experiencias ajenas, llamar la atención de reclutadores de empleo, enviar mensajes entre los miembros del mismo grupo (hasta un máximo de 15 al mes) y hacer networking.

Existen dos tipos de grupos, los "estándar" y los "no publicados". Los primeros aparecen en los resultados de búsqueda y se puede formar parte de los mismos mediante solicitud de ingreso o invitación de contacto de primer grado. El administrador no tiene control sobre la admisión de nuevos integrantes ni sobre la aprobación de las publicaciones. Los segundos, no aparecen en los resultados de búsqueda y se accede únicamente mediante invitación.

81- Hasta el 14 de octubre de 2015 eran 2,2 millones los grupos que ofrecía la red, a partir de la fecha aparecen 1,2 millones. Con el cambio de categoría de los grupos cerrados (solo para miembros) a grupos "no publicados", éstos ya no aparecen en los resultados de búsqueda y no se pueden localizar si no se forma parte de los mismos.

Para tener acceso a los debates de los distintos grupos es necesario formar parte de los mismos, incrementándose de esta manera la confidencialidad de los temas tratados y la percepción de exclusividad. Por el contrario, es imposible conocer la diversidad que los caracteriza previamente a la solicitud de ingreso.

El centro de ayuda de la red describe los tipos de grupos que existen en Linekdln: empresariales, específicos de un sector, organizaciones comerciales o sin ánimo de lucro, conferencias y de antiguos alumnos.

Tener una presencia activa en LinkedIn, con imágenes y contenidos alineados con el objetivo que determina la presencia en la comunidad, realizando conexiones que permitan ampliar la red y accediendo a la información relevante que proporciona –publicaciones que a su vez se recomiendan y comparten- favorece el desarrollo de la marca profesional.

LinkedIn facilita la creación del perfil en varios idiomas, lo que permite ofrecer distintas versiones del mismo en función de la lengua escogida e incrementar las oportunidades profesionales. Incluir la dirección URL del perfil en la firma de correo facilitará el acceso directo al mismo. Ofrece la posibilidad de crear páginas de empresa para que las marcas tengan presencia y visibilidad en su campo de referencia, encuentren contactos, puedan realizar colaboraciones o cerrar tratos, compartan contenidos de valor o reciban, entre otras cuestiones, recomendaciones de sus clientes o seguidores.

LinkedIn permite estar conectado con otros usuarios a través de conexiones directas, conexiones de nuestras conexiones y las personas con las que compartimos grupos. Y ofrece tres niveles de relación, siendo el más

importante, por amplitud y variedad, el segundo nivel. Investigación de empresas en las que gustaría colaborar, solicitud de un empleo concreto o hacer crecer la red de contactos con expertos clave de la especialidad buscada, son algunas de las causas que justifican un proceso de búsqueda en LinkedIn.

Descripción inadecuada o ausencia de la misma en el título del perfil; recomendaciones de amigos o compañeros de trabajo, en lugar de las realizadas por jefes o encargados; ignorar los grupos de interés; desaprovechar el uso de las etiquetas para agrupar contactos y de las palabras claves en el posicionamiento del perfil; o, mantener oculto el email de contacto, son algunos de los errores más frecuentes que se comenten en LinkedIn.

Las invitaciones son la herramienta que permite poner en contacto a conocidos y desconocidos en esta comunidad social y profesional. En muchas ocasiones, los usuarios recurren al envío de la invitación que la red ofrece por defecto, lo que denota falta de interés y despersonalización, o envía otras estereotipadas o huecas. Personalizar la invitación y primar la calidad sobre la cantidad de información facilitada —presentación, motivo de la misma (mantenimiento de contacto, proposición de proyecto, etc.) y despedida— escrita en un tono cordial y respetuoso, son las dos características que facilitarán su aceptación y posterior conversación.

Existe un amplio debate en torno a la idoneidad o inconveniencia de la inclusión de "en búsqueda activa de empleo" en el perfil de LinkedIn. Disponibilidad del candidato, humildad en el reconocimiento de la falta de empleo e ilusión hacia nuevos proyectos, son razones en favor de la inserción de la demanda. Protagonismo inmerecido

a la "búsqueda", descartando otro tipo de contacto, o con otros fines distintos a la contratación; rechazo en la admisión de nuevos contactos y equiparación al resto de los parados, con independencia de la cualificación y experiencia, son los motivos aducidos para su rechazo.

Profesionales de recursos humanos ven favorable la inclusión de la demanda laboral o disposición profesional en el extracto o en la experiencia profesional, no en el titular y proponen recurrir a expresiones creativas con encabezamientos atractivos: "en fase de transición", "buscando nuevos proyectos", etc.

Existe un listado con las 10 palabras más empleadas en LinkedIn España que se recomiendan evitar para diferenciarse en el perfil y presentarse como una persona singular: motivado, apasionado, creativo, decidido, amplia experiencia, responsable, estratégico, trayectoria, organizacional y experto.

Personalizar la dirección web, URL, del perfil de LinkedIn; desactivar la difusión de actividad, para evitar molestar a todos los contactos con notificaciones de todos los cambios efectuados en el perfil; y, sumarse a los grupos de LinkedIn afines a los interés perseguidos, son actuaciones que facilitan moverse por una comunidad tan atractiva como compleja.

Utilización de un tono profesional en las conversaciones, contenidos interesantes, contacto con personas del sector y mantenimiento de instructivos debates son algunas de las razones a favor de mantener un perfil en esta red profesional. Cuidando las validaciones de las aptitudes que realizamos de nuestros contactos y revisando –creando y modificando, si es necesario- las que aparecen en nuestro perfil –se pueden incluir hasta un máximo de 50-, valorando su relevancia para el posicionamiento en la red.

Estar en LinkedIn implica tener una presencia detallada y profusa, que ofrece en su perfil información minuciosa sobre la formación académica y los cargos desempeñados, fortalecida con recomendaciones de colegas y superiores, ser un usuario activo y tejer redes de forma racional.

INSTAGRAM, LA RED DE LAS HISTORIAS VISUALES

El 6 de octubre de 2010, Kevin Systrom y Mike Krieger, dos graduados de Stanford, lanzaron Instagram, la red para editar y compartir fotografías y videos. Aplicación diseñada inicialmente para usuarios de iPhone, en abril de 2011 estaba disponible para Android. Debe su nombre a la combinación de dos conceptos que explican su naturaleza: instantáneas y telegramas.

A principios de 2011 incluye *hashtags*, etiquetas, con el objeto de facilitar la búsqueda de imágenes por temáticas y favorecer la comunicación entre los distintos usuarios. Una red generadora de relaciones humanas a través de las imágenes.

En abril de 2012 Facebook anuncia la adquisición de la red social de fotografía, que publica[82] diariamente más de 80 millones de fotos. En mayo de 2013 incluye la opción de etiquetar a personas y marcas en las imágenes.

Compartir imágenes de la vida cotidiana, o aparente, los momentos divertidos, los días especiales, los logros profesionales o la evolución personal; y, fomentar el vínculo emocional entre los *IGers*, usuarios activos de Instagram, son sus señas de identidad: "capturar y compartir buenos momentos".

La clave de una red que cuenta con un alcance del 100%, se centra en la participación activa y las publicaciones con contenidos de valor. Su esencia se resume en "tener un objetivo claro". La primera fotografía que apareció en Instagram corresponde a uno de sus creadores, Systrom, con un homenaje a su mascota canina en forma de primer plano.

Mejorar la calidad de las fotografías tomadas con terminales de telefonía móvil, mediante la oferta de una galería de filtros[83], marcos y colores; com-

82- En noviembre de 2015.

83- Conocida también por la red de los filtros.

84- Disponible en (https://help.instagram.com/478745558852511/). Recuperado el 17 de noviembre de 2015.

85- Autolesiones y suicidios.

86- Usuarios fallecidos, chantajes y delincuentes sexuales condenados.

partir las imágenes en varias plataformas, en un solo clic; y, facilitar la participación de los usuarios, son los objetivos esenciales de la red social de moda, la que más compromiso genera entre marcas y públicos. Deambular de perfil en perfil ajeno, con una audiencia heterogénea y adquisición superficial de *Likes*, son las críticas que recibe una comunidad visual que permite verse a uno mismo a través de las imágenes que suben otras personas.

Con el objeto de favorecer la creación de un entorno abierto, positivo y seguro, la red ha facilitado unas normas y condiciones de uso: compartir únicamente fotos y videos propiedad del usuario, o libres de derechos de propiedad intelectual; apropiadas para un público diverso; que fomenten interacciones relevantes y genuinas; cumplan la ley; descarten la violencia gráfica; respeten a todos los que interactúan en la comunidad; y, contribuyan a crear un entorno de ayuda.

Instagram permite usar el servicio a usuarios mayores de 14 años, a la vez que advierte: "no serán toleradas conductas actitudes u opiniones que indiquen discriminación, racismo, amenaza, acoso, etc, imágenes pornográficas o desnudos explícitos"[84].

La imposibilidad de ejercer un control estricto y eficaz sobre los contenidos, y la intención de revisar las denuncias recibidas y retirar las imágenes que incumplan los criterios de participación, ha motivado la inclusión de un botón que permite denunciar a usuarios que infrinjan las normas comunitarias así como publicaciones o contenidos inapropiados, en forma de cuentas pirateadas, suplantación de identidad en las cuentas, menores de 13 años, cuentas con contenido que incita al odio, propiedad intelectual, información privada expuesta, *Self-Harm*[85], conductas abusivas y *spam*, explotación infantil y trata de personas, y otros tipos de denuncias[86].

Instagram permite el control de la visibilidad a través de la configuración pública o privada de fotos y videos. Las imágenes privadas, que incluyan *hashtags* o "Me gusta", solo podrán ser visibles para los seguidores aprobados. Ofrece la red la posibilidad de compartir las publicaciones con per-

sonas concretas, hasta un máximo de 15, mediante la aplicación Instagram Direct. También incluye la opción de añadir ubicaciones a las imágenes, configurando el "mapa de fotos".

Elegir cuidadosamente el nombre de usuario –*nick*-; sacar el máximo provecho a las etiquetas –*hashtags*- utilizadas; usar de forma creativa imágenes de calidad, relacionadas con lo que uno hace y ofrece y con los intereses de la audiencia; relacionarse con otros interactuantes de la plataforma -*igers*-, con gran poder de convocatoria y actuación; ser prudente en la inserción de selfis; aprovechar la inmediatez que ofrece la red, se capturan y comparten experiencias en el momento en que se están produciendo; constancia en las publicaciones; mención a otros usuarios; aprovechamiento de aplicaciones y herramientas que surgen alrededor de la red e interconexión con otras comunidades de miembros –que incrementa las interacciones-, son las principales recomendaciones a tener en cuenta para moverse de forma apropiada por Instagram.

A finales de 2015, estudios realizados sobre los sujetos que la utilizan muestran como una red pensada inicialmente para jóvenes está "atrapando" a un público adulto y vaticinan el imperio de las comunidades de miembros de contenido visual.

Una red atractiva y estratégica, favorece la visibilidad de las marcas; instantánea, con funciones únicas y atractivas –publicación de fotos artísticas o videos cortos, gracias a los filtros, efectos y marcos fotográficos-; diseñada para su utilización en los smartphones; con facilidad para conectarse con otras redes –unicidad de los perfiles-; que acorta las distancias entre los internautas, mediante el uso de *hashtags* y los concursos; que permite ganar popularidad entre los miembros por los contenidos que publican –la propia red selecciona *suggested users*, lista de usuarios destacados que establecen tendencias, inspiran a la comunidad o toman fotos dignas de mención-, la convierten en una red global que conecta a las personas por los intereses que les unen.

TIPOLOGÍA DE USUARIOS

Las transformaciones sociales motivadas por cambios demográficos y sociológicos han propiciado la categorización de las personas por generaciones, con sus diferencias, similitudes y singularidades. Todos sus miembros son usuarios actuales y futuros de la comunicación que se produce en los entornos digitales.

Se distinguen la Generación Baby, incluye a personas nacidas tras la Segunda Guerra Mundial y principios-mediados de la década de los 60. Son individualistas, competitivos, productivos y solidarios. La Generación X engloba a los nacidos a principios de la década de los 60 y en los 70. Se orientan a la obtención de resultados, aprecian la independencia y buscan relaciones profesionales transparentes y directas. La Generación Y, también conocidos como Millenials o Generación del Milenio, son sujetos que nacieron a principios de la década de los 80, cumplen la mayoría de edad en los primeros años del nuevo siglo. Son considerados consumidores de todo tipo de tecnología de entretenimiento y sienten poco apego a permanecer en un mismo puesto de trabajo. Valoran la colaboración en el ambiente laboral. La Generación Z integra a nativos digitales, y líderes del mañana, personas nacidas en los últimos años del siglo XX y primera década del XXI. Impacientes y dependientes de la tecnología son conocidos como la Generación Digital.

Los usuarios que interactúan en Internet, conocidos como internautas, son los generadores de la mayor parte de los contenidos e información que circula por la Red. Los objetivos personales o profesionales, o una mezcla de ambos, determinarán la estrategia a seguir en las redes sociales y el comportamiento que se manifieste en la actuación con los restantes usuarios.

Seniors, enamorados, pesimistas, maestros, activistas, "sabelotodos", familiares, animalistas, ojeadores, criticones, novatos, espías, "enganchados a la Red", revolucionarios, egoístas, camaleones, empáticos, acosadores, dramáticos, provocadores, solidarios, preguntones, clandestinos, informantes, fantasmas, proactivos o esporádicos son algunas de las categorías que in-

cluyan las distintas clasificaciones genéricas que engloban a los miembros de las comunidades digitales en función de su personalidad, el tono empleado en sus comunicaciones, los objetivos perseguidos, etc.

Díaz (2014) describe las principales estrategias que los usuarios emplean para moverse por el *ciberespacio*. Una amplia mayoría de internautas se encuadra en la categoría "voyeur", la observación y la investigación es la forma de habitual de operar en más de la mitad de los usuarios digitales. Se les considera "la mayoría silenciosa" de la Red. El "modo portavoz" es una fase en la que uno se hace eco de los contenidos proporcionados por sus amigos, empresa, contactos, etc. El "animador", poco extendido, recurre a una estrategia operativa que exige conocer el tema que se aborda, busca la cooperación y el diálogo y admite las discrepancias.

En las redes sociales se plasman deseos, preocupaciones, intereses, sentimientos, inquietudes, opiniones, vivencias, críticas, etc. En este entorno virtual, en el que se producen las interacciones personales, se distinguen distintos tipos de usuarios atendiendo a sus aportaciones y actividades, a sus comportamientos y actitudes o bien, al uso y aprovechamiento que le dan a las mismas.

Se distinguen usuarios pasivos y usuarios activos, en función de las actitudes y los posicionamientos que manifiestan en la Red. Los usuarios pasivos, o husmeadores, visualizan fotos y videos, escuchan música, buscan información, leen publicaciones realizadas por sus contactos y consultan sus emails, pero no aportan contenidos ni interactúan con otros sujetos. Se les conoce por el nombre de *lurkers* o husmeadores. Los usuarios activos, usuarios 2.0, son personas que socializan –aportando o respondiendo comentarios-, comparten información y consumen contenidos digitales. Protagonistas de perfiles sociales en permanente actualización y autores de blogs o páginas personales, que atienden con esmero.

87- Ver Capítulo 8.

Una diferenciación que incluye a los usuarios más activos y visibles de las redes, distingue desde el más influyente hasta el más temido por su comportamiento: líderes de opinión, creadores de contenido, moderadores, comentaristas regulares, provocadores, troles[87], usuarios falsos y fisgones.

Una ordenación basada en sus aportaciones y actividades distingue a aquellos que las utilizan para proclamar un malestar -con independencia de su justificación o ausencia de la misma-; los que se comprometen con causas sociales, incluso sin confirmar la veracidad de las mismas; los que viven en un mundo irrealmente positivo y quieren hacer partícipes del mismo a todo aquel que quiera escucharles, o leerles; aquellos que quieren granjearse afectos y amistades a costa de sus debilidades; los que convierten a sus mascotas en el centro de su existencia; los melosos enamorados que proclaman su amor y felicidad al mundo entero; y los que acaban de ser padres y narran vida y milagros de sus retoños, y se comprometen con todo tipo de causas que afecten a la infancia.

Otra clasificación, en función del contenido que comparten en el canal virtual (Puro Marketing, 2014) los ordena en:

- *Hipsters*. Sujetos creativos, comprometidos con las redes sociales a través de las que reciben información y canalizan sus mensajes.
- Ambiciosos. Habituales de las redes profesionales. Tienen una gran capacidad para relacionarse.
- Altruistas. Colectivo reivindicativo y activo. Se informan vía redes, se comunican por *email*.
- Conectados. Personas que organizan y planifican su agenda social a través de las redes sociales.
- *Boomerangs*. Muy activos, buscan generar retroalimentación con los contenidos que divulgan.
- Selectivos. Consideran las redes como fuentes de información, que comparten con sus contactos.

Motivos intelectuales, falta de confianza en la seguridad que ofrecen los medios digitales y carencia de conocimientos técnicos, son las razones que aducen los "no usuarios" para no integrar espacios en los que se practican los contactos sociales.

Las marcas también tienen sus seguidores: el tranquilo, poco comprometido pero atento; el esporádico, conecta en base a experiencias vividas; el molesto, exige atención e inmediatez; el trol, fuente de alimentación de cuestiones personales; el activo; anima las comunidades comentando y compartiendo publicaciones; el leal, recomienda los servicios y productos en entornos físicos y digitales; y, el negociador, decidido y activo.

Los usuarios de Facebook se clasifican en observadores, permanecen atentos a cualquier actualización pero no aportan comentario alguno; jugadores, adictos a todo tipo de entretenimiento; coleccionistas, sumarse a grupos es su hobby; organizadores de eventos, generosos en invitaciones a participar en los mismos; reporteros, dan cuenta de todo lo que sucede alrededor; madrugadores, saludan todas las mañanas, sin excepción, a sus interlocutores; personajes populares, cargados de amigos virtuales y,ególatras, facilitan un parte con sus tareas diarias.

Twitter distingue internautas que abren un perfil pero no llegan a estrenarlo; merodeadores, poco activos pero interesados en las tendencias y el consumo de noticias; aficionados a concursos, promociones y sorteos; usuarios que retuitean contenidos de calidad sin aportaciones propias; exploradores, monitorizan, buscan temas de interés y comentan su quehacer cotidiano; robots, sujetos con perfiles falsos y cuentas automatizadas; celebridades, personajes populares de ámbitos diversos: política, cultura, religión, etc.; *e-celebridades*, autores y gurús tecnológicos, fundamentalmente; *networkers*, populares, comprometidos y activos; medios y portales de comunicación, muy influyentes; marcas empresariales, de tamaños y ámbitos diversos; y usuarios fieles, seguidores y partícipes de las opciones que ofrece la comunidad: conversar, contactar, etc.

En Instagram se pueden encontrar defensores acérrimos de los selfis, protagonistas de las publicaciones que insertan; personas que no actualizan sus publicaciones pero que apoyan las que realizan otros; sujetos que presumen de cuerpo y figura; aquellos a los que la vida les sonríe en todas las facetas; vendedores en todo momento y lugar, no distinguen situaciones, contextos ni oportunidad; parejas de acaramelados, cuyas imágenes rozan el ridículo; usuarios seguidores fieles de todo el que se inscribe en la red; otros que hacen de las fotos de viajes realizados su estandarte; activistas políticos; amantes de la gastronomía, los paisajes, los animales y las máximas de autoayuda.

LinkedIn integra personas en búsqueda activa de empleo, o de nuevas oportunidades laborales, en su mayor parte usuarios con formación académica superior y títulos de posgrado; emprendedores en búsqueda de visibilidad e influencia, activos en los grupos de su actividad; reclutadores, conocedores en profundidad de las posibilidades que ofrece la comunidad, centro de sus observaciones y selecciones; profesionales y empresarios reconocidos, que procuran su desarrollo profesional y el de la empresa que representan; pequeños empresarios y profesionales por cuenta propia, ampliar la red de contactos es su misión principal.

CORTESÍA

LA CORTESÍA EN LA COMUNICACIÓN DIGITAL

El desarrollo y la generalización de las tecnologías de la información y la comunicación en la sociedades occidentales en los últimos años han puesto de manifiesto la intensificación de la vida digital de las personas y los cambios en la forma de escribir y relacionarse -manifestada en nuevas estructuras sociales, nueva economía y nueva cultura que traen consigo interdependencia y complejidad- modificando la percepción de lo que hasta entonces se percibía como correcto. Innovaciones que encuentran detractores en pensadores y expertos.

La transmisión de información, espontánea y desinteresada en un contexto físico, es el objetivo a alcanzar en un entorno digital gracias a la capacidad de los usuarios de compartir información o experiencias con su red de contactos, dotando de importante valor a la marca merced a la fiabilidad que generan los canales digitales. Es habitual la aplicación de la regla 1/10/100 en las comunidades virtuales: una persona crea contenido, diez se dedican a comentarlo, llegando a alcanzar la centena los sujetos que lo leen.

Pew Research Center (2014) ha presentado el informe "Digital Life in 2025" centrado en la opinión de expertos sobre el futuro de la sociedad basada en la web en el que la mayoría de los versados coincide en que su presencia será global, *inmersiva* e invisible. Destaca en sus conclusiones el intercambio de información de forma ubicua e invisible, el surgimiento con

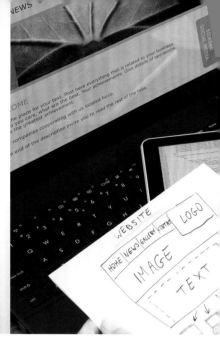

...

88- Término popularizado por el filósofo, sociólogo y ensayista Cesar Renduelles. Crítico con las bondades que engloba.

89- Recuerda Carr (2011) que "las investigaciones recientes no dejan de demostrar que la gente que lee texto lineal entiende más, recuerda más y aprende más que aquellos que leen texto salpimentado de vínculos dinámicos". "La capacidad de la Web para monitorizar eventos y enviar automáticamente mensajes y notificaciones es uno de sus puntos fuertes como tecnología de comunicación. Confiamos en esta capacidad para personalizar el funcionamiento del sistema, programar la vasta base de datos para responder a nuestras necesidades, intereses y deseos particulares.

fuerza de escenarios del que denominan comportamiento editable, el aumento del nivel cultural merced a la conectividad y la potenciación de las relaciones personales, la implicación política de los internautas y su inclinación hacia los cambios pacíficos, muestra de un acercamiento a sociedades transparentes, la democratización de la educación y el riesgo de quedar fuera de la sociedad conectada, lo que exige estar alerta.

Se denomina "ciberfetichismo"[88], o fetichismo cibernético, a la creencia absoluta en las bondades de la tecnología y su capacidad para procurar vínculos sociales en un mundo más justo e igualitario —en el que presión y elitismo se sustituyen por libertad e igualdad-. Una corriente de pensamiento que adjudica a la tecnología la facultad de resolver problemas sociales, empresariales y políticos tradicionales, una herramienta de cambio y transformación gracias a la comunicación que se practica en Internet. Críticos a esta corriente la califican como utopía inofensiva y destacan la capacidad de la Red para fomentar el consumismo y la eliminación de debates y relatos, como resultados de la interactuación que en ella se produce.

Nicholas Carr, reconocido analista del impacto de las tecnologías en la sociedad contemporánea, defiende que la tecnología es manifestación de la voluntad humana y que la Red, extremadamente seductora, cuenta con un enorme poder de distracción que altera las habilidades[89] cognitivas de sus usuarios, incentiva una lectura superficial de la información y atenúa capacidades humanas fundamentales como el pensamiento profundo, el aprendizaje, el entendimiento, la abstracción o la evocación, e insiste en que la inmersión *online* aísla de la realidad *offline*.

Presagios que ya anticipó el programador informático, y uno de los precursores de la inteligencia artificial, Joseph Weizenbaum[90] al afirmar que el uso habitual de nuestros ordenadores crea dependencia hacia los mismos llegando a confiarles tareas que requieran razonamiento y sabiduría, atribuibles únicamente a los humanos.

Pese al debilitamiento de ciertas competencias importantes, Carr señala como aspectos po-

sitivos de la navegación en Internet, y las actuaciones que en ella se realizan, la clara mejora en la coordinación ojo-mano, la respuesta refleja y el procesamiento visual de señales.

El sociólogo Cliffor Nass[91] paladín de la teoría según la cual las personas que se dedican a más de una tarea a la vez son menos productivas y presentan deficiencias de atención y cognitivas, afirmó que la multifuncionalidad humana produce atrofia emocional, asegurando que la mejor manera de transmitir emociones en una relación interpersonal es mediante un contacto "cara a cara".

El avance de la tecnología ha permitido el desarrollo de nuevos discursos nacidos al amparo de las intenciones de los actores y los objetivos que persiguen. La comunicación por medios electrónicos, CME, actualmente un medio mayoritariamente escrito, presenta una escala de "adaptabilidad on-line"[92]. El maestro de la usabilidad[93] en Internet Jackob Nielsen aconseja cuidar el sentido común, la sencillez y el rigor, y ofrece tres directrices: brevedad y sencillez, utilización del estilo de pirámide invertida[94] y recurso al hipertexto, como poderosa herramienta de la escritura web. Internet es un canal interactivo y dinámico, con una audiencia incontrolable y diversa e infinidad de contenidos que pueden llegar al receptor de forma fragmentada, lo que demanda una escritura propia, con la naturalidad como elemento fundamental. Dotar al texto de estructura visual, utilizando párrafos cortos, textos destacados, epígrafes descriptivos, listas de puntos, márgenes notorios, espacios interlineales y otros recursos similares, aportan dinamismo y anticipan una disposición previsible a la lectura.

Las personas establecemos vínculos emocionales con las historias. Transmitir la información en forma de narración de relatos, *storytelling*, apelando a las emociones y a los valores garantiza su recuerdo por el vínculo entre la mente humana y los sentimientos y permite realizar llamadas a la acción, además de ser un poderoso instrumento de motivación. El arte del relato es una técnica narrativa sencilla y emotiva que refuerza la transmisión de conceptos, ideas y valores.

Del Valle (2015) propone evitar la *muerte del contenido*, definido como "efecto vestíbulo" con la propuesta de sugerencias que facilitan la eficacia

...

Deseamos ser interrumpidos, porque cada interrupción viene acompañada de una información que nos es valiosa. Apagar estas alertas nos pone en riesgo de sentirnos fuera, incluso aislados socialmente (…) Aceptamos de buen grado esta pérdida de concentración y enfoque, la división de nuestra atención y la fragmentación de nuestro pensamiento a cambio de la información atractiva o al menos divertida que recibimos. Desconectar no es una opción que muchos consideremos" (Carr, op.cit.).

90- Weizenbaum, J. (1966). Computacional Linguistics. ELIZA A Computer Program For the Study of Natural Language Communication Between Man and Machine. Communication of the ACM, 9(1). Diseñó en 1965 el programa ELIZA, que permite la comunicación entre una persona con supuestos problemas psicológicos y un ordenador que ejerce de terapeuta, vía teclado y pantalla.

en la comunicación asíncrona[95] en un entorno digital: exponer la idea principal de forma directa y sin ambages; resaltar los textos relevantes y de interés general para avalar su lectura; personalizar a los receptores, focalizándolos, no escribiendo para un espectador genérico; aplicar un tono cercano; escribir para un *"buyer persona"*[96] un contenido enriquecido con enlaces y citas; optimizar los titulares, localizables, entendibles y beneficiosos; y, respetar la ortografía, asociada a la credibilidad otorgada a un autor o a un texto.

Otras recomendaciones de estilo y redacción son las relativas a practicar la concisión, no la brevedad, en los textos, situar las palabras claves al principio de la frase y los enlaces al final, emplear verbos de acción[97], escribir pensando en las personas no en la localización rápida en buscadores, emplear la voz activa, evitar las perífrasis, incluir imágenes, citar fuentes, recurrir a la utilización prudente de la fuente en negrita, eludir los elogios hacia uno mismo y combinar información y opinión en los contenidos aportados.

En la Red se practica la máxima "ordena, redacta y poda", proposición que sugiere escribir mensajes breves que puedan leerse de un vistazo. Descriptivos, concisos y veraces son los calificativos que definen a las aportaciones en forma de tuit o titular. Escribir en Internet exige saber de qué se quiere hablar, conocer bien el destinatario y el medio en el que se inserta la publicación, aplicar la técnica de las 6W[98], revisar y resumir, adaptando el tono y estilo –cercano y emocional en Facebook, cercano, emocional y visual en Instagram y, cercano, informativo y profesional en Twitter y LinkedIn-, y el lenguaje –cercano y accesible en Facebook y Twitter, formal y objetivo en LinkedIn y divertido en Instagram- a cada plataforma concreta.

En las interacciones que se practican en las comunidades de miembros el contenido es el rey y la reina le corresponde a la escucha activa que permite filtrar, en función de los objetivos, el contenido aportado en forma de comentarios, opiniones, sugerencias, críticas, etc., y acceder al conocimiento. Las posibilidades y necesidades de cada marca determinan las herramientas utilizadas para la escucha.

La participación de los usuarios crea comunidad y da valor a la opinión mostrada por los artífices del comentario. Los comentarios positivos estimulan, refuerzan la motivación y reafirman el acierto de la estrategia que se sigue. Agradecerlos y compartirlos, sin abusar y siempre que sean interesantes o divertidos, es una práctica admitida. En ocasiones, se reciben mensajes negativos con el objeto

de hacer ver opiniones erróneas, un mal servicio, desventajas de un producto, mala atención al cliente o simplemente tienen la intención de molestar o perjudicar, habitual en el caso de los *troll*[99]. Cómo actuar ante este tipo de comentarios –expresados de forma más brusca y desinhibida en los entornos digitales que en los físicos- y resolver la posible crisis que pueden crear es básico para el mantenimiento de la imagen de la marca.

Leer con detenimiento el mensaje, para distinguir la intención del destinatario y el impacto de la queja; hacer una captura de pantalla, una evidencia que conviene archivar por si se necesita utilizar en un momento futuro; mantener el mensaje, encarar el problema con la mayor transparencia posible, salvo que contenga palabras o imágenes ofensivas; mostrar interés, profundizando en el problema y realizando preguntas; responder en el menor tiempo posible –una hora es el tiempo de espera máximo recomendado-, de forma amable y respetuosa y personalizando el mensaje; aprovechar la retroalimentación que se recibe; generar varias opciones de respuesta, elaborando borradores distintos –una lectura comparada entre ellos permitirá escoger la que mejor se adapte a la situación concreta-; monitorear las reacciones y las respuestas que se generen; y, documentar las acciones realizadas, son los pasos a seguir en la gestión de comentarios en las redes sociales.

Si los comentarios negativos son producto de una falta de información, lo mejor es ofrecer toda las aclaraciones posibles. Si el problema es real, hay que ofrecer disculpas y agradecer el interés en solventarlo de forma pública, y remitirlo a una comunicación o encuentro privado para la búsqueda de una solución que satisfaga a ambas partes. Si las quejas se producen con frecuencia por los mismos temas, conviene detenerse a reflexionar qué se está haciendo mal y en qué aspectos es necesario mejorar.

Las críticas muestran interés hacia la marca y ponen de manifiesto que tiene seguidores. Aprovechar las partes útiles de los comentarios negativos, aceptar que las diferencias entre las opiniones de las personas son necesarias y beneficio-

99- Existe una práctica conocido como "trolear al troll". Consiste en lograr enfocar la queja desde otra perspectiva que deje quedar mal al alborotador.

100- Se suelen leer las tres primeras y últimas palabras de un título. Alrededor de los 60 caracteres, no superando los 100.

101- Se pueden leer en 7 minutos, tope de atención para los usuarios en la red.

102- A menores caracteres, mayor alcance.

103- Máximo que establece MailChimp, uno de los servicios principales de *newsletter*.

104- Favorece su recuerdo.

105- Debido al tipo de lectura que se practica en los entornos digitales.

106- En 2006 realizó un estudio de movimientos oculares de internautas. "Pidió a 232 usuarios que portaran una pequeña cámara que registraba sus movimientos oculares a medida que leían páginas textuales o examinaban

sas, ser accesible, mostrar coherencia con uno mismo y autenticidad, no subestimar a ningún usuario y pedir apoyo a la comunidad, puede convertir a un usuario insatisfecho en un aliado. Hay que recibir los comentarios negativos con elegancia y gestionarlos de forma inteligente.

No existe un consenso universal en cuanto a la longitud recomendada para los contenidos digitales, por lo que los parámetros de medición fluctúan en un permanente reajuste. Un patrón guía que refleja la métrica ideal en Internet recomienda 6-8 palabras para los titulares[100], 1500 para los artículos[101], 350-400 para las entradas de blogs —entre 8 y 11 palabras por línea y de 3 a 5 líneas por párrafo-, 80-100 caracteres en Twitter y 40-80 en Facebook[102], 25 palabras para los post de LinkedIn, 40-60 caracteres para los asuntos[103] de los correos electrónicos, 8 para los dominios[104] y entre 40 y 55 para cada línea[105].

La particular lectura que se practica en el ámbito digital condiciona la estructura de los contenidos, con el fin de lograr una presentación efectiva. Palabras claves, frases destacadas y pistas visuales, negritas, listas, frases cortas y párrafos de cuatro líneas posibilitan una visualización rápida. El control de la extensión y la jerarquización de los contenidos, son aspectos claves en los textos que se redactan en Internet.

Jakob Nielsen[106] afirma (Tascón, 2012; Carr, 2011) que la mirada adopta un patrón en forma de F en la lectura en Internet —una lectura rápida de la

parte superior de la pantalla, una mirada fugaz a la mitad de las palabras del segundo párrafo y los primeros vocablos de los siguientes-. Recomienda simplificar el texto porque en Internet "se escanea, no se lee"[107]. Internet satisface la expectativa de que un menor esfuerzo de lectura logra consumir más texto.

La Fundación del Español Urgente (Tascón, 2012) aprueba el uso[108] de abreviaturas o símbolos para ahorrar espacio en mensajes de texto y mensajería instantánea, Twitter y en la redacción de correos electrónicos informales, con el consiguiente ahorro de tiempo de escritura y espacio de caracteres. Las palabras que indican los meses y los días de semana son las más abreviadas. El director de la Real Academia Española, Darío Villanueva, defiende que las abreviaturas eran práctica habitual en los manuscritos de los monasterios medievales, debido al elevado precio de los materiales.

Frente a los comentarios que se encuentran por la Red afirmando que las abreviaturas fomentan la mala ortografía de adultos, y en mayor medida en los jóvenes, un estudio[109] presentado a mediados de marzo de 2014 por el Centro Nacional de Investigaciones Científicas francés, CNRS, publicado en la revista científica Journal of Computer Assisted Learning, reveló que la redacción de mensajes de texto en el teléfono móvil, SMS o WhatsApp, usando contracciones y alterando las palabras, no empeora la ortografía de los adolescentes. A mayor nivel ortográfico, más faltas creativas de escritura cometen los adolescentes, conocedores de cómo manipular la lengua. Una forma natural de escribir que no resulta preocupante cuando la comunicación expresiva y afectiva se practica en entornos privados. En la misma línea, Crystal (2013) sostiene que no hay pruebas que demuestren que los SMS enseñan a escribir mal y otorga mayor habilidad ortográfica, y capacidad de manipulación, a los adolescentes mejor formados. La destreza y la voluntad aplicadas a las comunicaciones digitales son claves para un aprovechamiento de la tecnología.

Rechazar Internet por el mal uso que se pueda hacer del mismo no es una razón para sopesar su validez. El Código Penal castiga los actos delictivos[110] que se produ-

otros contenidos. Nielsen encontró que casi ninguno de los participantes leía el texto en pantalla de manera metódica, línea por línea, como se leen las páginas de un libro impreso. La inmensa mayoría de ellos echaba una rápida ojeada con la que escaneaba la pantalla en un patrón que seguía aproximadamente el trazo de la letra F. Empezaban con un vistazo a las dos o tres primeras líneas del texto. Luego bajaban la vista un tanto para escanear unas líneas más a mitad de pantalla. Por último, dejaban pasear la vista un rato, como un cursor, un poco más abajo, hacia la parte inferior izquierda de la ventana" (Carr, op.cit.).

How Little do Users Read? Disponible en (http://www.nngroup.com/articles/how-little-do-users-read/). Consultado el 15 de noviembre de 2015.

El patrón de lectura que el autor revela se vio confirmado por un estudio realizado por el Laboratorio de Investigación de Usabilidad de Software de la Universidad Estatal de Wichita. Disponible en (http://usabilitynews.org/eye-gaze-patterns-while-searching-vs-browsing-a-website/). Consultado el 2 de diciembre de 2015.

107- A excepción de libros y textos académicos, científicos y de interés para el lector.

108- Los nombres de los meses pueden emplearse abreviaturas o símbolos. Las abreviaturas clásicas son: en. / febr. / mzo. / abr. / my. / jun. / jul. / ag. (o agt.) / set. (o sept. o setbre.) / oct. / nov. (o novbre.) / dic. (o dicbre.). Los símbolos pueden ser de una, de dos o de tres letras. Los días de la semana no tienen abreviatura; por lo tanto, queda al criterio de cada sujeto, que utilizará aquellas que no generen confusión.

109- Les SMS, une menace pour l'orthographe des adolescents? (2014). Disponible en (http://www2.cnrs.fr/press e/communique/3475.htm). Consultado el 2 de diciembre de 2015.

110- Mensajes injuriosos, calumnias, apología del terrorismo, racismo, xenofobia y pederastia.

111- *The Wisdom of Crowds*, publicado en 2004.

cen en el entorno digital, al igual que lo hace en un contexto físico, con la particularidad de ser más fácil la identificación de los detractores debido a que en la Red "todo deja rastro", si bien el anonimato permite plasmar expresiones que no se producirían en un entorno físico.

Las personas tenemos una enorme capacidad para transformar los instrumentos a nuestra disposición con el propósito de alcanzar aquello que nos marcamos como meta. Internet ha permitido el paso de la conectividad en pequeños grupos geográficamente cercanos -en los que se participa, interactúa y controla a los asistentes- a la conectividad en incontables comunidades, con intereses y tipos de relaciones distintos y diversos satisfaciendo todos los intereses, por muy dispares que sean. Es lo que la sociología denomina "coincidencia de necesidades" y lo que Surowiecki llama la "sabiduría de las multitudes"[111], las personas en grupo actúan con mayor sabiduría e inteligencia que de forma individual. La diversidad e independencia de opiniones y la agregación de las contribuciones a la comunidad potencia el conocimiento, la coordinación y la cooperación entre los miembros.

Un poderoso canal de comunicación o una de las mayores conquistas de la humanidad, Internet será lo que cada internauta quiere que sea.

LA CORTESÍA EN LOS SISTEMAS DE COMUNICACIÓN ESCRITOS EN DIFERIDO: EL *EMAIL*

La escritura, entendida como sistema de comunicación humana a través de signos visibles, tiene una antigüedad de poco más de cinco mil años. El correo electrónico forma parte de la gama estilística de la comunicación por medios escritos, al igual que la mensajería instantánea, los mensajes de texto y foros de redes sociales, entre otros. Su utilización se produce en ámbitos personales y profesionales.

El *email*, considerado un punto intermedio entre la comunicación oral y la comunicación escrita, ha recuperado el género epistolar para millones de personas. Se caracteriza por un renovado estilo informal, más coloquial, espontáneo y natural que la tradicional carta personal merced a la inmediatez y formato que le caracterizan y a la ausencia de soporte físico. *Email* y carta, pese a constituir modalidades diferentes del estilo epistolar, comparten elementos similares, fundamentalmente el esquema clásico de encabezamiento, desarrollo y cierre; equivalencia en el tono practicado en el saludo y en la despedida; y, la firma en contextos profesionales.

El correo electrónico presenta textos más cortos que la carta tradicional pero una frecuencia de uso mucho más numerosa, lo que permite una relación más dinámica y espontánea, admitiendo la supresión de introducción y despedida en el caso de correspondencia informal o continua. Es un medio asincrónico que ha convivido con otros medios tradicionales influyendo en las condiciones de su uso, de-

terminadas por el emisor y destinatario del mensaje, el contexto en el que se inserta, los objetivos perseguidos, etc.

El correo electrónico es un medio popular muy útil para establecer un primer contacto con personas desconocidas, al ofrecer la posibilidad de filtrar los contactos mediante el mantenimiento de distintas cuentas. Su versatilidad se materializa en su utilización como carta, sistema para compartir archivos, herramienta para gestión de la agenda, facilidad para una conversación rápida, promoción de productos y servicios, etc.

Pese a que la utilización masiva de la comunicación electrónica permite ciertos privilegios, fundamentalmente de tipo gráfico y en situaciones coloquiales -amparadas en la imposibilidad de transmitir a través del texto estados de ánimo-, la imagen del emisor del mensaje se ve igualmente afectada si su empleo es abusivo y según sea el nombre escogido para la dirección de correo electrónico. La dirección escogida revela la personalidad del remitente o el tono que adopta en sus comunicaciones. Es frecuente asociar una cuenta con el nombre de pila, apodo o mote de un usuario, cuando lo aconsejable es relacionarlo con nombre y apellidos, incluso datos de la empresa si se trata de un contacto profesional.

La respuesta a los correos electrónicos es obligada, a excepción de los de carácter informativo o comercial, las invitaciones que no lo manifiesten expresamente o los que contengan amenazas o faltas de respeto. Si el correo electrónico demanda una contestación en el ámbito personal, debe producirse a la mayor brevedad posible; en el caso de que tenga lugar en un contexto profesional, 24 horas es un prudente período máximo de espera. La respuesta no se produce por orden cronológico de recepción en la bandeja de entrada. Jerarquía, grado de confianza, interés, responsabilidad o simplemente orden alfabético son las distintas formas de ponderar el orden de los destinatarios de los textos.

Responder exclusivamente al remitente de un mensaje, enviado a varios contactos, es un error habitual que priva de información al resto de los implicados. En estos casos, hay que recurrir a la opción "Responder a todos" para compartir la conversación íntegra pudiéndose eliminar la parte del texto que no proceda: cabeceras, otras respuestas sin importancia informativa, firmas, etc. Responder al final del texto o intercalando la respuesta en el mensaje son opciones válidas siempre y cuando, en el último caso, se avise al destinatario. Esta opción no es aceptada de buen grado, ya que supone una pérdida de tiempo y puede perjudicar las relaciones laborales, por lo que se recomienda emplearla cuando sea estrictamente necesario.

Tener claro quién es el destinatario principal del *email* es el primer dato a tener en cuenta. Enviar un correo a varios destinatarios a la vez tiene como consecuencia obtener una mínima respuesta. Tampoco es recomendable enviar un texto a varias cuentas distintas del mismo destinatario ya que provoca molestia.

El saludo define el tipo de relación que se establece, o desea establecerse, con el interlocutor e irá acorde con el desarrollo del texto y la despedida empleada. La firma, en un contexto laboral, suele incluir datos que identifican profesionalmente al usuario e información de la empresa.

El apartado "Para" define al destinatario del mensaje. El de "CC" (Copia de carbón o Con copia) indica a quién se quiere dar a conocer. El compromiso y responsabilidad que engloba es menor y la demanda de respuesta debe ser expresa. En el apartado "De" se indica el nombre y apellidos del emisor del texto o bien su correo electrónico.

Se utiliza el campo "CCO" (Con copia oculta) en lugar del campo "Para" para hacer invisibles las direcciones de correo en los envíos a más de un

destinatario, los masivos a grupos o si se reenvía información recibida. Su empleo en el ámbito profesional puede generar desconfianzas -se interpreta como ocultación en un entorno abierto- salvo que se recurra a esta fórmula para informar al afectado de una recomendación, conocer el desarrollo de un proyecto, etc. Se usa igualmente para enviar información a personas que no se conocen entre sí, por ejemplo, notificar un cambio de dirección de email, número de teléfono, etc. y para informar a personas pero no se quiere hacer público que se les informa.

En muchas ocasiones, se reciben correos en los que el emisor se dirige a sí mismo y a un número indeterminado de receptores mediante este apartado de copia oculta. Esta práctica provoca, por una parte, la despersonalización del texto —incumpliendo la premisa de pensar en el receptor y dirigirte personalmente a él individualizando el mensaje- y, por otra, es muestra de una ausencia total de empatía hacia los destinatarios, al no encontrar tiempo o ganas para dedicarles unas líneas dirigidas a ellos en concreto. Totalmente desaconsejable en entornos personales y profesionales.

El campo "Asunto" se completa con una frase corta, personalizada, directa y atractiva que mantenga una estrecha relación con el contenido del texto. Un elevado porcentaje de receptores de correo electrónico confía su apertura a la presentación de este campo. Las mayúsculas, los signos ortográficos de exclamación e interrogación y los eslóganes publicitarios del tipo: gratis, promoción, regalo o importante, se desaconsejan por su escasa efectividad, y ausencia de creatividad y estilo personal. Personalizar el asunto, emplear palabras clave, introducir pinceladas de humor siempre y cuando el contenido

lo justifique, formular una pregunta, argumentar una teoría o llamadas a la acción garantizan la lectura del *email* y la obtención de respuesta.

La información que contenga el asunto, protagonista de la primera impresión virtual, es fundamental para favorecer su lectura. La utilización de claves directas y específicas facilita la recuperación de mensajes en momento futuro. El asunto debe reflejar el contenido del mensaje en términos descriptivos e identificativos para el receptor. Es habitual iniciar el asunto con las letras "RE" si se trata de un mensaje de contestación a otro recibido con anterioridad. Si un correo ha de ser enviado dos veces, por falta de respuesta o desconocimiento de su recepción, es recomendable modificar el asunto manteniendo el contenido.

Algunos expertos recomiendan insertar emoticonos –el paraguas, el sol, un avión o un corazón son los que gozan de mayor utilización- en el asunto de un correo –fundamentalmente, en campañas de email marketing- con la intención de captar el interés del receptor y la excusa de mayor tasa de apertura, en plataformas que reconozcan y reproduzcan el símbolo empleado. Escoger símbolos que tengan la misma interpretación para todos los receptores del texto, su correcta colocación a principio o final del mensaje o sustituyendo una palabra concreta y un uso prudente de los mismos son las recomendaciones que ofrecen.

Con el objeto de evitar errores interpretativos, situaciones embarazosas, enfados o ausencias de réplica, se recomienda planificar la redacción, organizar la información, seleccionar el estilo adecuado a cada ocasión-informativo, descriptivo, argumentativo...- y escribir con corrección, respetando la ortografía y las reglas gramaticales. El texto

se iniciará destacando la información relevante, que se detallará a lo largo del mismo, para captar el interés del destinatario. Prudencia, concreción, claridad y concisión del texto del cuerpo otorgarán pragmatismo y eficiencia a la exposición de los contenidos.

La práctica de adjuntar archivos debe seguir unas indicaciones para su acertada utilización. Se enviarán siempre y cuando el destinatario conozca y espere su recepción. Las imágenes otorgan un aspecto visual atractivo al correo, pero tienen los inconvenientes de facilitar su consideración como *spam* y ampliar el tamaño del adjunto, con el riesgo de imposibilitar su entrega. La lectura de los correos desde un terminal telefónico implica que las imágenes de los mismos ralenticen la descarga, incrementando las tarifas basadas en tráfico consumido. La opción habitual es estacionarlo en un almacenamiento en la nube y enviar el enlace al mismo para su descarga o bien, notificar la URL donde está alojado.

Un archivo lleva un título que facilite su identificación, se envía sin modificar su extensión y se adjunta en un correo en el que se explica brevemente su contenido, o se dan pautas para su comprensión, es decir, nunca irá en un correo en blanco. Por descontado, estará libre[112] de virus, troyanos, etc. Responder a la recepción del correo con información adjunta con un "Recibido. Gracias", tras haber comprobado que el fichero puede abrirse sin dificultad, confirma que ha llegado sin problemas y te presenta como una persona que se preocupa por el cumplimiento de su trabajo, es una muestra de cortesía y profesionalidad.

Mantener la bandeja de entrada vacía, borrando los mensajes que no merezcan atención, actuando sobre los que demandan acción o guardando aquellos que se necesiten leer con posterioridad; reducir el número de correos que se envían, cuantos menos se mandan, menos se reciben; abrir el correo el menor número de veces posible; discriminar y guardar los correos por etiquetas te-

máticas, máximo 15 o 20; y, borrar los correos no solicitados mejorará la productividad personal, reducirá la carga de trabajo y el estrés.

Los especialistas en redacción corporativa afirman que la ironía y el sarcasmo no son aptos para el *email*. Además de provocar malos entendidos, al no ver la cara del interlocutor ni escuchar el tono con el que se expresa, y suponen una notable pérdida de tiempo. Las cadenas, apelando a sentimientos humanitarios o al deseo de lograr popularidad, cumplir deseos o satisfacer ilusiones, son útiles instrumentos de recolección de direcciones de correo electrónicos a disposición de los *hackers*, con las cuales elaboran bases de datos que intercambian entre ellos, o que venden a empresas con fines económicos o políticos, y eficaces mecanismos de transmisión de virus. No seguirlas y eliminarlas es la mejor opción.

Se critica en el *email* el recurso a un texto plano, poco llamativo. Enfatizar aquello que se quiera resaltar mediante comillas, negrita, cursivas, subrayado, signos de exclamación e interrogación, sin excederse, confiere dinamismo y agilidad al escrito. Es recomendable el empleo de frases cortas en contextos informales y oraciones largas, acompañadas de construcciones gramaticales complejas, en los formales para otorgarle mayor seriedad al mensaje El recurso de emoticonos, indicadores del estado de ánimo, demanda un uso prudente del mismo, único y exclusivamente en un contexto distendido. Las mismas premisas pueden aplicarse para las animaciones, los colores o los tamaños excesivos de fuente. El destinatario, el contenido y el contexto en el que se produzca admitirán o rechazarán su inclusión.

La firma en forma de nombre, nombre y cargo o nombre y empresa, es de obligada inclusión. Si el *email* se produce en un entorno laboral, o la persona que lo recibe necesita tener los datos de contacto de la persona que lo envía –datos que sustituyen a las tarjetas de visita-, incluirá todos los precisos. Los ficheros anexos, logotipos, gráficos, enlaces o garabatos, del tipo que sean, imágenes o información innecesaria, no se incluyen como firma.

A estas pautas para la elaboración de un correo electrónico cortés hay que añadir la recomendación de respetar la privacidad de los mensajes, abstenerse de divulgar direcciones sin permiso de sus titulares, centrarse en un único tema por correo enviado, leer y releer el texto, priorizar un mensaje como urgente cuando efectivamente lo es para el emisor y receptor del mismo, evitar finalizar las frases con puntos suspensivos -para no generar confusión- o correos escritos en mayúsculas, salvo que se quiera resaltar una parte concreta del texto ya que equivale a gritar, además de dificultar su lectura.

Activar la opción de confirmación de lectura resulta invasivo y se interpreta como una medida de control. La coletilla final "Enviado desde mi..." no es excusa para justificar errores o faltas de ortografía, por lo que se aconseja evitar su uso. Si el envío de un correo electrónico provoca una corriente de preguntas y respuestas plasmadas en un intercambio confuso de correos, que ocuparán tiempo y desgaste emocional, lo más aconsejable es aclarar el tema por teléfono. Al igual que debe evitarse enviar malas noticias, denegar peticiones, hacer una crítica o abordar un asunto delicado por este medio asincrónico. El cara a cara es la mejor opción para transmitir estas intenciones.

Es necesario prestar especial atención a la forma y el estilo, adecuándose al destinatario y manteniéndola a lo largo de las distintas partes del texto. Un mensaje escrito en tono formal, considerado persuasivo, presenta a su

emisor como una persona inteligente, educada y con autoridad en su rama de actividad. Por el contrario, el tono informal, más auténtico que el serio, representa a un sujeto joven y creativo.

Ausencia de faltas de ortografía, utilización adecuada de las mayúsculas, gramática y sintaxis correcta, léxico culto -principalmente cuando el correo tiene fines profesionales-, lenguaje respetuoso, dosificados artilugios para resaltar el texto -subrayados, colores, tamaños de letras, etc.-, abreviaturas conocidas y aceptadas, redacción sencilla, párrafos cortos —una idea, un párrafo-, puntualización acertada, y lectura final del texto antes de su envío proyectarán una buena imagen del emisor.

Utilizar mayúsculas de forma reiterada, enviar correos a los colaboradores fuera del horario laboral, escribir mal, incluir bromas o ironías en el mensaje, utilizar abreviaturas en inglés, descuidar el tono de voz empleado, dejar vacío el campo "Asunto", enviar correos masivos o con información banal, recurrir a una despedida fría, descortés o escrita en un idioma distinto al utilizado en el texto, firmar con la inicial en mayúscula en un escrito formal, emplear correos automáticos, completar el texto sobre un fondo que desoriente la lectura, o enviar el mensaje sin repasar el asunto, mensaje y destinatario, son ejercicios desaconsejados para la utilización profesional del email.

Así como los usuarios tenemos la obligación de respetar los derechos de autor de todo el material que reproduzcamos, todos los ciudadanos tenemos derecho a saber los ficheros en los que aparecen nuestros datos. Conocer los derechos[113] que amparan a los usuarios en el entorno digital es una recomendación que sugieren los organismos que nos rigen.

"Dar ejemplo no es la principal manera de influir en los demás, es la única manera" (Albert Einstein).

113- En España, la norma principal que regula las comunicaciones electrónicas es la Ley Oficial de Protección de Datos de Carácter Personal (LOPD), vigente desde el 13 de diciembre de 1999 que "tiene por objeto garantizar y proteger, en lo que confiere al tratamiento de los datos personales, las libertades públicas y los derechos fundamentales de las personas físicas, y especialmente de su honor e intimidad personal y familiar" (Titulo I, Art.1).

114- El 3 de abril (de 2013) se cumplen 40 años de las primeras palabras pronunciadas en una llamada a través de teléfono móvil. Las pronunció Martin Cooper, de Motorola, quien llamó a un competidor de AT&T. El móvil en cuestión pesaba casi 800 gramos. En España los primeros móviles fueron para S.M. el Rey y Adolfo Suárez, Presidente del Gobierno. Eran Nokia. Fundación Orange (2014).

LA CORTESÍA EN LOS MEDIOS TELEFÓNICOS: TELEFONÍA MÓVIL

Cumplidas cuatro décadas desde su nacimiento[114], la telefonía móvil –nacida por la necesidad de conversar en movilidad- se ha revelado como una herramienta de comunicación social imprescindible en las relaciones interpersonales, con probada capacidad para modificar hábitos y actitudes, generadora de nuevas posibilidades de contacto.

La década de los 90 se caracterizó por el desarrollo de marcas, la mejora tecnológica de los terminales y la implantación del color en las pantallas. En 1997 Philippe Kahn construyó el primer teléfono con cámara incorporada, que Sanyo empezaría a comercializar en 2002.

Steve Jobs innovó el concepto de teléfono móvil con la creación del iPhone en 2007, táctil y basado en la navegación por Internet y la utilización de aplicaciones. En el año 2008, la comercialización en España y Latinoamérica de estos terminales iPhone 3G revolucionó el mercado de los dispositivos móviles por las prestaciones que ofrecía.

Con la restricción del pequeño tamaño de las pantallas, los terminales permitieron visualizar correo electrónico con la misma nitidez que un portátil o un ordenador de sobremesa.

A partir de 2010, los teléfonos inteligentes, conocidos como *smartphones*, abarrotan el mercado por su relevante mejora en la experiencia de navegación de los usuarios. Se caracterizan por una pantalla táctil que facilita la relación directa con el dispositivo, interfaz intuitiva y diversidad de aplicaciones. Visualización, interacción y conectividad definen a estos distintos dispositivos móviles. Las principales operadoras de telefonía que

operan en España y Latinoamérica lanzan en 2013 los primeros teléfonos móviles con "Joyn"[115]. En la actualidad, destacan como novedades los móviles curvos y los resistentes al agua.

En el siglo XXI el *smartphone* se consolidó como un valioso instrumento de comunicación global capaz de relacionarse con el entorno en el que se emplea. Pese a la escasa experiencia que demanda la utilización de dispositivos móviles, los expertos coinciden en recomendar un uso responsable, ejemplo de manejo para las generaciones futuras. En la actualidad, es el dispositivo más usado para acceder a Internet y el principal uso que reciben, aventajando a portátiles y ordenadores de sobremesa.

La utilización generalizada de los teléfonos inteligentes, la penetración de las redes sociales y las aplicaciones de mensajería instantánea han modificado las funcionalidades básicas de los terminales provocando que un porcentaje en aumento de usuarios realicen llamadas consumiendo tarifa de datos en lugar de facturar minutos de voz. Un cambio de hábitos que provoca el traslado de un escenario individualista y analógico a un universo socializado y digital.

Se denomina "netiqueta social"[116] a la forma de gestionar la relación de los contactos presenciales con los digitales, cuando coinciden en una localización espacio-tiempo. El conocimiento de nuestros interlocutores, su personalidad y preferencias, las características contextuales del momento y la localización facilitarán la elección entre dispositivos digitales o personas físicas, evitando así situaciones incómodas. El dispositivo es un interlocutor que goza de un rango inferior a las personas. Anteponer el terminal telefónico a una conversación en un

115- Sistema de mensajería instantánea desarrollado por Movistar, Vodafone y Orange. Joyn permite a los clientes participar en chats, enviar archivos y realizar llamadas enriquecidas con intercambio simultáneo de imágenes o videos, de una manera gratuita, privada y segura.

116- Propuesta de Francesc Grau (2013), consultor estratégico de comunicación online.

117- La 23ª edición del Diccionario de la Lengua Española de la RAE incluye, como nueva palabra, el término "red social", que define como "Plataforma digital de comunicación global que pone en contacto a un gran número de usuarios".

118- "La medida, sin embargo, tiene algunas consideraciones más. En primer lugar, cuando se trate solo de dos participantes, se debe seguir disculpándose ante la llamada telefónica o la atención a la pequeña pantalla. Esta recomendación viene dada por el mero hecho de que, en una reunión de tres o más, la ausencia de uno de los participantes no priva de seguir conversando a los otros dos. Por otra parte, es adecuado también que si uno atiende la llamada, el hecho de desviar la atención a otros menesteres evita la incómoda situación de que mientras uno habla, el otro mira, escuchando la conversación integra (algo que resulta, sin duda, incómodo)". Recuperado el 16 de diciembre de 2015, de, http://www.marcastro.es /story/se-debe-parar-una-reunion-para-atender-el-movil

contexto físico es lo que se conoce como *phubbing*, práctica desarrollada con la penetración de los teléfonos inteligentes que interfiere de forma negativa en las relaciones humanas.

Es frecuente que en el transcurso de una charla los participantes en la tertulia paren la conversación, en el momento en que un tema decae o antes de dar paso a otro, para coger el teléfono y comprobar si han recibido correo electrónico, incluir un comentario en una red social[117] o mandar un mensaje por WhatsApp. Esta práctica anglosajona, presente en las relaciones sociales, recibe el nombre de *phone break,* pausa para el teléfono.

La recepción de una llamada por parte de uno de los integrantes en el encuentro, o de una notificación importante o urgente en su terminal, se aprovecha por el resto de los participantes, tras las disculpas de la persona que debe responder y durante el tiempo que necesite para resolver su notificación, para revisar sus mensajes, entradas en sus muros, visualizar una página web, etc. Esta praxis[118] integrada fundamentalmente en el ámbito profesional, es aceptable siempre y cuando se respete cuándo y de qué manera debe hacerse, para no convertir su uso en un abuso y nunca en un encuentro de solo dos personas.

Priorizar la conversación, por delante del envío de mensajes de texto, correos, publicaciones en las redes, etc.; "librarse" del teléfono móvil cuando no sea imprescindible su utilización; evitar el *phubbing*[119]; silenciar el terminal en el puesto trabajo; responder en el momento adecuado y sin demorar tiempo la respuesta; y, hacer un uso adecuado de los selfis[120], con coherencia y responsabilidad constituyen muestras de delicadeza.

Un uso adecuado de los selfis conlleva sacar fotos que no supongan peligro, o exposición a la violencia; implicar a personas que consientan aparecer en la imagen, y faciliten autorización expresa para su descarga en las redes sociales; si es intención del

autor publicarla, controlar la escenografía escogida para no herir suscepti-
bilidades; y, evitar fotografiar a personas en estados poco saludables.

Cuidar el encuadre y los ángulos; aprovechar la luz natural, desechando el
uso del flash; resaltar la faceta cómica del autor, motivado por la deformación
de la cara, con nariz grandes y ojos hundidos, provocado por la cercanía de la
lente; no mirar de forma directa a la cámara, elevarla por encima de la cara;
tomar fotos en horizontal, en caso de querer mostrar el fondo; reducir ligeramente la claridad de la imagen; y elevar tímidamente la saturación y el contraste; incluso pasar la autofoto por un editor fotográfico, son consejos que
se ofrecen por la Red con la intención de ofrecer buenos selfis.

Culto a la imagen, alimentación del narcisismo, pérdida de la intimidad,
idolatría de lo aparente, veneración a lo inmediato, enmascaramiento de mie-
dos, ausencia de capacidades, exhibicionismo, ansiedad, autosuficiencia o
superioridad son algunos de los males achacables a los retratos realizados
de uno mismo con la intención de colgarlos en la Red, al convertir a sus actores en sujetos -ávidos de fama, notoriedad, estatus, poder o apariencia-
en los protagonistas de un escaparate público de alcance ilimitado e
incontrolable.

La costumbre de depositar el móvil sobre la mesa en un encuentro social o una reunión profesional está justificada, en
modo silencio o vibración, si es obligado estar localizado, se
está pendiente de recibir noticias importantes de la índole que
sean, o es fundamental para el desarrollo de la conversación o
el tema que se trate.

Silenciar los móviles, o mantenerlos en modo vibración, durante
nuestros contactos en los trayectos en transportes públicos,
en sitios cerrados muy poblados y en lugares que así lo so-
liciten -cines, hospitales, iglesias, etc.- es un ejemplo de tratamiento respetuoso, pese a la masiva penetración de los
dispositivos móviles interactivos que ha propiciado, entre

119- Costumbre de
centrar nuestra atención
en un teléfono inteligente
o tableta, restando
importancia a las
personas que nos
acompañan.

120- Imagen tomada por
uno mismo con el móvil
que suele colgarse en las
redes sociales. Neologismo
ambiguo en cuanto al
género que se escribe sin
cursiva ni comillas. En el
caso de emplear el
anglicismo *selfie*, debe
escribirse en cursiva o, en
su defecto, entre comillas.

otras medidas, la aceptación de normas de cortesía permisivas. La euforia tecnológica permitió inicialmente aceptar reglas hasta ese momento poco adecuadas. El asentamiento definitivo de las recomendaciones y la percepción de lo que está por llegar, en cuanto a avances en este sentido, demanda el establecimiento de unas pautas de conducta que faciliten la convivencia y garanticen un uso racional.

Mantener conversaciones en público en voz alta, obligando a todos los presentes a enterarse de los temas tratados; tomar fotos con una tableta[121], disponiendo de un móvil para ello, por su carácter intrusivo; acaparar la banda ancha de una red wifi de uso público, reduciendo la velocidad de conexión para el resto de usuarios; y, enviar y recibir mensajes de texto cortos en el transcurso de una conversación, son considerados malos hábitos tecnológicos.

Consultar el teléfono mientras se camina es un peligro, curiosear fotos de una lista, ojear pantallas ajenas, monopolizar los enchufes en locales de ocio o abandonar una conversación "en línea" sin previo aviso son ejemplos de abuso de confianza; llenar el mensaje de emoticonos, superando al número de palabras, genera ambigüedad.

Llevar auriculares puestos reduce nuestra capacidad de atención; aun así es práctica habitual de muchas personas, especialmente jóvenes, llevarlos puestos en cualquier circunstancia y lugar. En caso de interacción puntual[122] con otros sujetos es suficiente con descolgar uno para efectuar la gestión oportuna. Si se mantiene una conversación con otra persona, es aconsejable quitárselos.

Como sujetos con vinculación electrónica -dependemos del móvil, de la tableta, del ordenador, etc.- en muchas ocasiones se plantea la necesidad de cargar el dispositivo[123]. Si la carga se realiza en lugares públicos, no es necesario solicitar permiso para efectuarla; si, por el contrario, tiene lugar en un establecimiento privado[124], lo correcto es pedir autorización.

El uso que demos al teléfono inteligente determinará las situaciones que provoca. Elegir un tono de llamada muy original —una canción, un audio, etc.- llamativo o peculiar, refleja la personalidad de su propietario por lo que se recomienda escoger uno acorde con las actividades que se realicen habitualmente o discriminar el entorno en el que se producen, social y laboral.

En algunas ocasiones se envía por error un mensaje o fotografía a un destinatario equivocado. Seleccionar con cuidado al receptor del mensaje, editando el perfil con toda la información del contacto, evitará situaciones violentas o embarazosas.

La mentira no es buena compañera de viaje, con independencia del camino que se escoja. Justificar una falta de asistencia, el retraso en la entrega de una documentación, etc. con la excusa de estar enfermo, o una disculpa similar, e informar a todo el mundo de la posición y actividad que se realiza en cada momento, vía *smartphone*, es una incongruencia. Desactivar el servicio de localización es una medida que evita disgustos.

El mercado de los teléfonos móviles ha facilitado la creación de un nuevo código del lenguaje por razones de inmediatez, comodidad, economía del tiempo y limitación de espacio. Lenguaje empobrecido que elimina vocales, signos de interrogación y exclamación, las "h" y los acentos, aceptable únicamente en el contexto de los mensajes cortos.

123- Aeropuertos, congresos, salas de reuniones, etc.

124- En los sitios donde cargar el dispositivo tiene coste, se anuncia mediante carteles informativos.

LA CORTESÍA EN SISTEMAS DE COMUNICACIÓN ESCRITOS EN TIEMPO REAL: WHATSAPP

El ser humano tiene la necesidad y la capacidad de comunicarse y los sistemas de comunicación en tiempo real facilitan esa interacción interpersonal. Los medios de comunicación instantánea proporcionan la localización inmediata y favorecen el contacto permanente. "Si se entiende, sirve"[125] es la premisa que sustenta la comunicación en medios de comunicación escritos en tiempo real.

WhatsApp es una aplicación fácil de usar, intuitiva, no invasiva y disponible en las distintas plataformas, que ha provocado la sustitución de las llamadas por los mensajes de texto gracias a las cualidades que la definen: creación de grupos, listas de difusión, envío de enlaces, imágenes -en forma de fotos y videos- y audio a usuarios y grupos. La variabilidad es una característica que David Crystal adjudica a la mensajería instantánea, al presentar tanto información variada y numerosa, como contenidos intrascendentes.

WhatsApp es una herramienta de conexión, actualización e información permanente para marcas y usuarios. Previa aceptación de los receptores, las empresas emplean la aplicación para propuestas de negocios, notificar contenidos y novedades, comunicar buenas nuevas, resolver dudas, atender reservas, realizar ventas, participar en sorteos y promociones, convocatorias a eventos promocionales, etc. Realizar críticas, proponer cambios de planes, reclamaciones o dar malas noticias son actividades que no deben hacerse a través de una aplicación, mejor cara a cara o, en su defecto, telefónicamente.

Se conoce como idioma Messenger, escritura de Internet, escritura del chat, texto escrito *oralizado* o diálogo escrito a la ortografía simplificada o reducida, alternativa a la practicada en los entornos físicos, caracterizada por la aplicación relajada de normas ortográficas, sintácticas y de puntuación -abreviación, acortamiento y síntesis, principalmente-. Un estilo autodidacta de escritura personal, libre, creativa y original, ajeno a imposiciones institucionales, de alcance relevante para los interlocutores que participan en la conversación, generando una comunicación natural e inmediata.

Ausencia de comas, puntos y comas, puntos finales y paréntesis; uso del guión en lugar de la raya de diálogo; supresión de las mayúsculas iniciales; anulación de acentos y diéresis; omisión de vocales, de sílabas y de la letra h; eliminación del espacio separador de palabras; repetición de mayúsculas, para simular una subida de volumen; empleo de emoticonos y uso de léxico popular con un componente expresivo, singularizan a esta novedosa forma de escritura.

Desaparición de las tildes, salvo que provoque ambigüedad en la interpretación; utilización de onomatopeyas e interjecciones de carácter enfático; empleo de siglas, abreviaturas y acrónimos; uso de diacríticos irregulares para resaltar palabras concretas; manejo de anglicismos y grafías fonéticas de vocablos ingleses, producto del origen americano del chat; supresión de signos de apertura de exclamaciones e interrogaciones; números y signos con valor fonológico y repetición de letras o signos con carácter acentuador, son las principales características de la ortografía adaptada a este contexto informal, interactivo y espontáneo.

La mensajería instantánea posee funciones heredadas del chat pero se distingue de

éste en que, además de la transmisión de mensajes de texto, permite adjuntar archivos, realizar llamadas de voz y video, está disponible de forma permanente e indica los horarios de conexión de los usuarios. Facilitar la mayor cantidad de información en el menor tiempo y espacio posibles fue, en la época floreciente de la taquigrafía y ahora con la mensajería instantánea, la clave a seguir. Sus características básicas son la inmediatez, brevedad e informalidad.

WhatsApp es una herramienta que facilita la difusión, rápida y sin verificación, de contenidos inapropiados: rumores, críticas desmesuradas, juicios, falsas alarmas, condenas, etc. creando confusiones y malentendidos difíciles de solucionar. Prudencia y reflexión son dos ejercicios que deberían practicar todos los usuarios de una aplicación que facilita la comunicación interpersonal inmediata. Respeto, tolerancia y calidad humana son requisitos básicos para manejarse correctamente por WhatsApp.

Un estilo de comunicación que prima el contenido sobre el continente, el contexto sobre la puntuación y el mensaje sobre las formas, relegando a un plano secundario y optativo la revisión del texto —esencial en contextos formales-. La brevedad, usada debidamente, aporta fluidez a una comunicación que prioriza la instantaneidad de la comunicación. La simplificación de la sintaxis y la supresión de artículos, conjunciones, adverbios y preposiciones, no afectan a la inteligibilidad de un mensaje, basado en lo predecible.

Dotar de amplio contenido un espacio pequeño, reducir la elaboración de costosos soportes o facilitar su inscripción en medios que exigen gran destreza y coste, han sido las causas que justificaron la introducción de abreviaturas en el lenguaje escrito. El problema se presenta cuando se aplican en un contexto inadecuado, por ejemplo, en un escrito formal, académico, etc. Su utilización durante una reunión profesional o social atenta contra las normas que fomentan una comunicación correcta y efectiva en la Red.

El fundador de WhatsApp destaca el objetivo de su creación: "capacitar a las personas a través de la tecnología y la comunicación, sin importar quié-

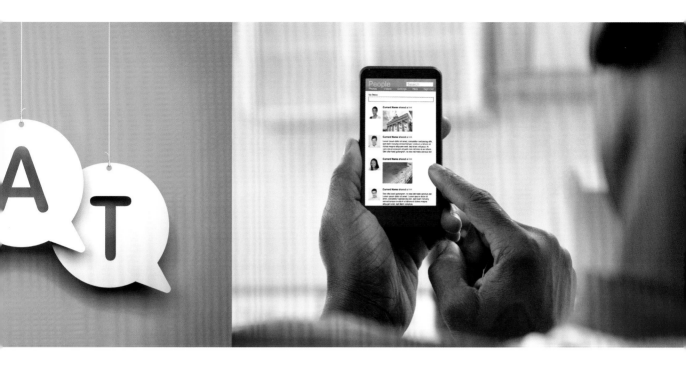

nes son o dónde viven. Queríamos mejorar la vida de la gente de alguna manera". La aplicación ofrece la posibilidad de seleccionar un estado predeterminado[126] o incluir uno determinado por el usuario -cita, reflexión, situación, pensamiento, etc.-. La comunicación por este medio demanda respetar los estados ajenos y emplear en el mismo sentido los propios.

Abusar de las animaciones, iconos o formatos de texto en los mensajes; enviar mensajes de madrugada, o en horario de ocio si su contexto es profesional; descuidar la ortografía; no responder a un mensaje; felicitar los acontecimientos especiales únicamente por este medio; monopolizar las conversaciones de grupo con imágenes y textos; mostrar acuerdo con los temas tratados sin leer el contenido de la conversación y descomponer una frase en varios mensajes, son conductas que molestan a los receptores y transmiten una imagen muy informal del emisor. Se recomienda cuestionar la veracidad de los mensajes que incluyan faltas de ortografía, y desconfiar de los recibidos de números de teléfono desconocidos o sospechosos.

WhatsApp posibilita la creación de chats de grupo que permiten conversar con un máximo de 100 personas a la vez y mantenerse en contacto con familiares, amigos, conocidos y colegas. La aplicación facilita bloquear contactos directamente. Sin embargo, a finales de 2015, todavía no funciona en los chats en grupo, aunque la aplicación trabaja en una funcionalidad que permitirá silenciar usuarios que presenten conductas reprobables. "Lo que se habla en WhatsApp, se queda en WhatsApp" podría ser una descripción correcta de la conducta a observar en los que se generan en la Red.

Escribir frases cortas e inteligibles, avisar de la imposibilidad de chatear en un momento concreto, usar los grupos para comunicaciones relevantes, releer los mensajes antes de enviarlos, rebajar el volumen del sonido del teléfono, no pedir ni esperar confirmación de lectura, descartar cadenas de mensajes y rumores, presentarse al contactar con alguien nuevo en la agenda, li-

126- En el trabajo, disponible, ocupado, en la escuela, en el cine, batería baja, no puedo hablar, solo WhatsApp, en una reunión, estoy durmiendo o solo llamadas de urgencia.

mitar las fotos "graciosas" que se envían, abstenerse de publicar en estado ebrio o "alegre" y resolver las disputas personales cara a cara sin implicar a terceras personas son consejos de buenos modales para usuarios de chats.

Los grupos de WhatsApp son un canal de comunicación habitual en el entorno profesional por la facilidad para poner en contacto a varias personas al mismo tiempo y establecer conversaciones simultáneas, además de potenciar el sentimiento de pertenencia. El rol que se representa en la colectividad, las personas que la integran y el sentido común condicionarán los contenidos que se inserten respetando siempre la máxima de tratar los asuntos relevantes de manera personal.

La sensatez, la buena disposición y sintonía entre los interactuantes, el respeto, la honestidad, la tolerancia y la solidaridad caracterizarán el proceder de los miembros de los grupos en WhatsApp, beneficiosos cuando el objetivo de su creación es compartir información veraz, útil y relevante para todos los integrantes. Las críticas destructivas, alarmas falsas y condenas —innecesarias e injustificadas-, la expansión de los rumores —sin comprobación previa- y la publicación de chascarrillos, fotos personales o comentarios despectivos, no tienen cabida ni son bienvenidos. Los usuarios deben ser conscientes de que en los momentos en los que las emociones básicas

o complejas -ira, sorpresa, confusión, euforia, impulsividad, envidia, etc.- dominen los comportamientos, la mejor opción es abstenerse de enviar cualquier tipo de mensaje. Controlar estados emocionales que puedan confundir o den lugar a malas interpretaciones -la impulsividad, la euforia y la confusión- antes de enviar un mensaje, colaborará a una comunicación positiva.

Abandonar un grupo no gusta al resto de los miembros pero está justificado si: es muy numeroso, los grupos superiores a 12 usuarios no son prácticos; un porcentaje elevado de sus integrantes no son amigos, más del 50%; si su empleo habitual tiende a sustituir al email; exige una permanente conexión para permanecer atentos a todas las entradas que se produzcan, con revisarlos 2 o 3 veces al día debería ser suficiente; se utiliza para controlar las conexiones de las personas que lo forman; se emplea para mantener discusiones; es el medio exclusivo de acuerdo de encuentros en el medio físico; te exige escribir todos los días, varias veces; o, son el medio a través del cual llegan a diario mensajes en cadena.

Otras reglas no escritas recomiendan cuidar la ortografía y la redacción, dejar pasar un tiempo entre noticias buenas y noticias malas, salvo que éstas sean urgentes, usar emoticonos con moderación, enviar fotos que no se publican en redes sociales así como evitar anunciar el silenciamiento de un grupo ni volver a uno que se ha abandonado.

WhatsApp es la plataforma donde los emoticonos encuentran su modo de expresión libre y masiva. La exposición abierta de los sentimientos en las interactuaciones que se mantienen a través de terminales electrónicos ha favorecido su empleo, convirtiendo en numerosas ocasiones su uso en un abuso. La conexión inmediata que provocan los GIFs ha provocado su utilización en esta red. Pese a las críticas que asocian su uso con la falta de habilidades sociales o temor a expresarse, lo cierto es que las imágenes animadas están adquiriendo unas cifras de circulación enormes. La asociación de los colores llamativos que incluye con las emociones, la reducción en la ambigüedad del mensaje y la expresividad que incorporan estos formatos gráficos, favorecen su rápida difusión y extraordinaria acogida.

Las normas de etiqueta referidas al uso del lenguaje en la comunicación instantánea, aconsejan el uso de emoticonos para marcar la emotividad o expresividad del hablante, y eludir malinterpretaciones; evitar la crítica pública a los usuarios que presenten errores ortográficos o gramaticales en sus contenidos; utilizar correctamente las mayúsculas, incómodas de leer en pantalla y representativas de una agresión verbal; prescindir de mayúsculas y minúsculas en una misma palabra; emplear abreviaturas y lenguaje argot conocido por todos los presentes en la interacción; y, no abusar de la letra "k".

Las principales siglas de uso común que pueden apreciarse en la mensajería instantánea son: ASAP (lo antes posible), BFF (mejores amigos para toda la vida), FML (asco de vida), FYI (te informo), LOL (riendo a carcajadas), OMG (Dios mío), PC (por cierto), ROFL (tirado en el suelo, riendo), TL;DR (muy largo, no lo he leído), TQM (te quiero mucho), WTF (pero qué demonios es esto) y XOXO (besos y abrazos).

A finales de 2015 WhatsApp estrena una nueva funcionalidad, los mensajes destacados o favoritos –muestran una estrella junto a la hora de envío-, que permite marcar las comunicaciones importantes para facilitar el acceso a las mismas, o como recordatorio de una respuesta pendiente.

Expertos en Social Media consideran a WhatsApp una nueva forma de comunicación que acerca a los que están lejos y distancia a los que tenemos al lado. La privacidad y cercanía que permite Whatsapp le ha otorgado la preferencia de los usuarios en la "comunicación uno a uno", protagonizando las redes sociales la "comunicación de uno a muchos".

Discusiones, malentendidos, controversias, desavenencias, conflictos o similares, es decir, comunicaciones de tipo emocional, se resuelven en persona o, en su defecto, mediante una llamada telefónica, y siempre, aplicando una regla de oro "pensar antes de hablar, y escribir".

LA CORTESÍA EN LAS REDES SOCIALES: FACEBOOK, TWITTER, LINKEDIN E INSTAGRAM

Un porcentaje elevado de la población está conectado a Internet, convirtiendo a éste en el centro de todas las comunicaciones que se realizan. De hecho, el estudio realizado por Martin Hilbert[127] muestra como un 95% de la información está digitalizada y es accesible, en su mayor parte, a través de las redes informáticas.

Las comunidades de miembros son reflejo de las relaciones que las personas establecen en entornos *offline*. Temática, objetivo, enfoque o segmento de población canalizan las distintas clasificaciones. La más generalizada distingue entre redes generalistas (u horizontales) y redes segmentadas (o verticales). Las redes generalistas se enfocan hacia todo tipo de usuarios, con independencia de sus intereses o ámbito cultural y carecen de limitaciones para integrarlas, ni exigencias de edad[128] o condición concreta. Facebook, Twitter e Instagram son las más representativas. Las redes segmentadas están dirigidas a usuarios que comparten intereses comunes, objetivos, áreas geográficas, etc., y orientadas a un sector específico de población con segmentaciones en función de contenido, edad, etc. Una división dentro de esta categoría distingue redes profesionales -LinkedIn es la más representativa-, de ocio y geográficas.

Las redes sociales ofrecen contenidos con instrucciones de uso y políticas de privacidad para regular el uso y la convivencia en los entornos digitales. La comprensión mutua y el respeto facilitan el establecimiento de relaciones, objeto y fin

127- Estudio publicado en Science en 2010.

128- En Facebook, Twitter e Instagram se exige un mínimo teórico de 14 años (edad mínima que establece la legislación española para el acceso de menores a las redes sociales) pero se considera un dato meramente testimonial, al no ser necesario acreditar la fecha de nacimiento.

SOCIAL MEDIA

de las redes sociales. Relaciones en las que el lenguaje escrito y el visual constituyen una herramienta fundamental al ser el vehículo a través del cual se producen las comunicaciones, y condicionan el significado de los comentarios que se realizan.

El tipo de red, la función que cumple y el tipo de usuario que lo integra condicionan los contenidos insertados, de acuerdo a un conjunto de normas características de las distintas comunidades de miembros: cuidado de la ortografía, uso adecuado de las mayúsculas, comentarios personales o informativos, nunca ofensivos, y tono dependiente del entorno, objetivo e interlocutores.

Realizar comentarios críticos en los muros de otros internautas rechazando el artículo recomendado, un dato concreto o las opiniones vertidas, cuando nunca se producen otro tipo de interacciones y el ánimo es desautorizar o humillar, es una falta de respeto. Intervenir de forma puntual para enjuiciar, cuando de forma habitual no se mantiene contacto ni se participa en conversación alguna, muestra a un sujeto egocéntrico que aporta comentarios insustanciales o descontextualizados. "Ignorarlo" es la mejor respuesta que puede ofrecerse a su ataque. Antes de atentar contra textos ajenos, conviene documentarse bien. Y en el caso de que la crítica sea fundada, la amonestación debe realizarse en privado. La diversidad de opiniones es fundamental en unas comunidades digitales cuya proposición principal es compartir, pero debe asentarse sobre premisas que reflejen la intención de contribuir, sugerir, estimular, etc.

Los comentarios e informaciones que se mantienen en las redes sociales son públicos, por lo que hay que planificar, de forma más exhaustiva que la realizada en un medio físico, cómo se realizan las exposiciones, qué se dice, de qué manera y a quién. Reconocer a las personas con las que se interactúa la importancia del consejo, experiencia, cita, etc. recibido y las sensaciones que ha provocado mediante una respuesta al comentario, un expresivo emoticono o un sencillo "me gusta" o "recomendar" constituyen una apreciada muestra de agradecimiento.

La presencia en Internet comienza con un perfil que permita la personalización de la cuenta mediante la inserción de una imagen identificativa del interlocutor, el *avatar*, y un nombre, o *nick*. Para saber si la imagen que publicamos en el perfil de nuestras redes sociales es la adecuada, es conveniente hacerse la pregunta: "¿podría ser incluida en nuestro currículo?". En caso afirmativo, es adecuada. En caso de que no sea apropiada, debe buscarse otra más oportuna. Los contenidos insertados y la calidad de los mismos contribuyen a la individualización y nivel de privacidad, la coherencia debe presidir la imagen en las distintas redes sociales.

Contactos, amigos, seguidores y suscriptores son las denominaciones que reciben los diferentes perfiles de los usuarios en las distintas comunidades de miembros. Perfiles que ayudan a dotar de personalidad a los actores de las redes sociales.

Los muros de Facebook, Twitter, LinkedIn e Instagram muestran el estado de la comunidad a través de la secuencia progresiva de informaciones, comenta-

129- El primer *hashtag* se atribuye a un ciudadano de San Diego que incluyó la etiqueta #sandiegofire en los mensajes que hablaban de los incendios forestales que asolaron California en octubre de 2007.

rios, referencias, imágenes, etc. La gestión del tiempo en redes sociales es fundamental, ya que compartir contenido en un momento determinado lo hace visible a los demás. La clave es acertar con el momento de mayor notoriedad. Los tiempos de respuesta en este medio, de naturaleza asincrónica, no han de ser inmediatos pero no deben demorarse en exceso, especialmente si la consulta es profesional.

Cada comunidad tiene su propio ritmo, y lograr reacciones entre los internautas se consigue identificando el mejor momento para publicar en las redes sociales, el horario de publicaciones, y la cantidad ideal, con periodicidades diaria o semanal. Tráfico y viralización son dos métricas básicas para incrementar la presencia en redes sociales.

Los días de mayor tráfico en Facebook son los miércoles y viernes. Las mejores horas para publicar son las que se realizan por la mañana hasta mediodía y el número de publicaciones recomendadas es de 2 al día y un máximo entre 5 y 20 a la semana.

En Twitter triunfan las publicaciones realizadas de lunes a jueves temprano y a la hora de comer. Se aconseja editar al menos 3 tuits al día con un máximo de 8-10.

Los días de la semana de martes a jueves son el momento estrella de LinkedIn. Las publicaciones que gozan de mayor visibilidad son las realizadas muy temprano, a media tarde y a la hora de la cena, y el número mínimo aconsejado es de 1 diaria y un máximo de 7 a la semana.

En Instagram, cualquier día es bueno para compartir imágenes aunque el mejor momento se produce a mediodía. Subir 2 imágenes al día es la recomendación a seguir.

Estrategias y herramientas a disposición de los usuarios facilitan la multiplicación de la presencia en la Red. Elaborar listas permite seguir todos los contenidos de interés o las publicaciones de las personas que atraigan o interesen, reforzar la capacidad de acceso a la información relevante y mitigar, en la medida de lo posible, la imposibilidad de conocer todo lo que se mueve en la Red.

Los *hashtags*[129] son otra herramienta fundamental para organizar y segmentar la información, clasificándola por categorías, y conectar a personas con los mismos intereses. Son palabras precedidas por una almohadilla o numeral que insertados en un mensaje se convierten en un enlace que conecta con otros mensajes relacionados. Las etiquetas dan visibilidad a la marca y se utilizan para distinguir debates, generar conversaciones y fomentar la participación —respecto a un evento o temática concreta-, seguir una información específica de un grupo o tema o -darla a conocer a usuarios de la comunidad-, comunicar un acontecimiento, defender una causa, organizar concursos y promociones, recomendar a otros usuarios o generar un Trending Topic.

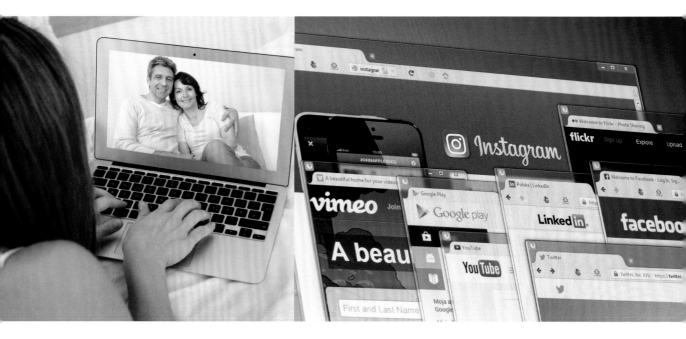

Un buen *hashtag* tiene que ser breve y sencillo, original y descriptivo, específico y relevante, memorable y directo, intuitivo y fácil de recordar. Estar directamente relacionado con el contenido de las publicaciones, facilitar una interpretación natural —que no se preste a varias lecturas-, conectar emocionalmente con la audiencia a la que se dirige, incitar a la participación y vincularse con la marca que representa.

Un estudio[130] realizado por una lingüista interesada en el uso del lenguaje en Internet distingue dos tipos de etiquetas, las organizativas —asociadas a eventos en directo, y útiles para usuarios- y las creativas, empleadas para hacer comentarios—. Las primeras generan más interacción que las segundas.

Las comunidades de miembros, como herramientas grupales y multidireccionales, potencian la conversación pública lo que genera un incremento de la información y de los contenidos que se comparten. El mantenimiento de conversaciones con otros internautas es un valor añadido para las relaciones que se mantienen en los entornos digitales.

Las informaciones, contenidos y relaciones personales y concretas se establecen en estos medios a través de dos canales insertados en las propias plataformas: chats y correo interno. Facebook e Instagram emplean ambos, Twitter y LinkedIn permiten los mensajes directos.

Una de las funciones que distingue a las redes sociales es la opción de realizar *hilos de escritura*. Conversaciones que se producen entre varios usuarios, a través de fuentes distintas, que no comparten tiempo ni momento de incorporación a la charla. Herramientas originadas por la naturaleza de las comunidades de miembros.

Las publicaciones en los espacios propios están sujetas a las limitaciones que el usuario quiere imponer. La publicadas en espacios ajenos requieren, para su adecuada gestión, responder y agradecer todos los comentarios -es el caso de las bitácoras-, la ausencia de ofensas y descalificaciones, y la aportación de valor.

130- Hay dos tipos de *hashtags* en Twitter pero solo uno te hace parecer novato. Recuperado el 12 de diciembre de 2015, de http://www.yorokobu.es/hashtags/

131- Postura defendida por Federico Casalegno. Director del centro de diseño tecnológico MIT Mobile Experience Lab del Instituto de Tecnología de Massachussets (MIT). Coautor enC@mbio. 19 ensayos fundamentales sobre cómo internet está cambiando nuestras vidas, BBVA OpenMInd, 2013.

Conocimiento del tema a tratar, exposición de argumentos con mesura, flexibilidad en la postura, respeto y atención a los participantes, documentación de la exposición y un sentido del humor prudente y oportuno, caracterizan las conversaciones que se mantienen en los entornos digitales. Incluyen además la transmisión de archivos multimedia, con un enorme poder de atracción, impacto y difusión.

El enfoque que genera la presencia en las redes, personal o profesional, configurará la estrategia a seguir en la gestión de los contenidos. Narrar experiencias, compartir conocimiento o difundir la marca personal son algunos de los objetivos que determinan la elección del canal apropiado, caracterizado por la coherencia entre perfil y presencia, y el equilibrio entre cantidad y calidad de información insertada.

Las redes sociales transmiten información válida acerca de la personalidad de los usuarios, revelada a través de pensamientos íntimos, multitud de imágenes personales en distintos contextos, comportamientos expresados, experiencias vividas, deseos, sueños, etc. Las tecnologías acercan a las personas pero se les achaca la posibilidad[131] de distanciarlas, generando déficit de atención -fundamentalmente entre los jóvenes- y soledad.

Las redes sociales generan inteligencia colectiva, con habilidades y sensibilidades enfocadas hacia la comunidad, crean cohesión en torno a un objetivo global, utilizando un lenguaje común, favorecen el compromiso y colaboran en la detección de talento.

La celeridad con la que surgen y se presentan las innovaciones tecnológicas, el impacto que generan en la sociedad y el valor añadido que aportan a las relaciones interpersonales, exigen a los usuarios de Internet una continua instrucción, con ampliación y modificación de conocimientos, para aprovechar todas las utilidades que ofrecen como herramienta de interacción social.

FACEBOOK. LA RED QUE CONECTA AL MUNDO

La satisfacción de dos necesidades básicas humanas, pertenencia al grupo y *autopresentación*, justifica la utilización de Facebook, reina de las redes sociales en España y Latinoamérica, y una de las más usadas y reconocidas a nivel mundial.

La utilización técnica de la red social ha sido objeto de miles de publicaciones, el uso social de la red no ha gozado de tanto protagonismo, motivo por el cual hay confusión en cuanto a su empleo. El primer error que se observa en la utilización de Facebook es el desconocimiento, u olvido, por parte de sus usuarios del carácter público de Facebook, caracterizado por una privacidad "porosa" que no permite garantizar quién va a leer la información publicada.

Publicar informaciones íntimas y privadas -imágenes, comentarios, etc.-, pensar que el control y propiedad del perfil de cada uno le pertenece, arriesgarse a compartir mentiras, colgar fotos de menores de edad sin el consentimiento de ambos progenitores y olvidar que Facebook es público, suelen ser los mayores errores que se cometen. De igual manera, convertir a la Red en confidente a la que confesar los problemas, de la naturaleza que sean; mostrar en todo momento la posición exacta *–geolocalización-* acompañado de una descripción de lo que se hace a cada instante, o invitar reiteradamente a los juegos "en línea" en los que se participa, son prácticas que gozan de poca aceptación y adeptos.

132- Bryant, E., Marmo, J. (2012). The rules of Facebook friendship: A two-stage examination of interaction rules in close, casual, and acquaintance friendships *Journal of Social and Personal Relationships*, 29 (8), 1013-1035 DOI: 10.1177/02654075 12443616

Pulsar "Me gusta" es un gesto que se realiza fácilmente y afirma una situación, pensamiento, experiencia, etc. del usuario que la emplea. Expresa empatía virtual entre los distintos interlocutores implicados en la conversación; indica que se está de acuerdo con el estado, afirmación, pensamiento, cita o máxima que se expone; aprobación de la imagen o video que se ofrece, demanda de ayuda o petición que se realiza. Es un medio a través del cual "se puede obtener algo a cambio del apoyo". Los comentarios respetarán las normas indicadas para la comunicación por medios electrónicos, compartiendo aquellos estados con los que los usuarios se sienten identificados.

Comentar publicaciones de contactos hace sentir menos la soledad. Se comparten aquellas publicaciones que se consideran interesantes, divertidas o únicas; o con la intención de recomendar un producto, servicio, película, libro, etc; como manifestación de una creencia, o forma de apoyo a una organización; seguir el hilo de una publicación; o, entre otras causas, como expresión de conocimiento.

En otoño de 2015 se asistió, en España e Irlanda, al lanzamiento -en pruebas- de la expansión del botón "Me gusta" en forma de siete nuevos iconos que se despliegan al mantener la presión ejercida sobre la tecla *Like*. Funcionalidades diseñadas para facilitar la transmisión de emociones: "Me gusta", "Me encanta", "Me divierte", "Me alegra", "Me asombra", "Me entristece" o "Me enfada".

Un estudio[132] dirigido por la Trinity University, dirigido a personas de entre 19 y 52 años, distinguió reglas de actuación en Facebook consensuadas por los participantes. Esperar una respuesta a la información que se "postea" en un perfil; comportarse de forma respetuosa y usar el sentido común en las actuaciones en la red; calibrar las consecuencias negativas, tanto en un plano personal como profesional, de los textos que se publican; no volver a publicar un comentario eliminado por la persona aludida -y solucionar el problema en un entorno físico-; presentarse de forma positiva y honesta; proteger la imagen de los otros cuando se escribe en sus muros; y, felicitar las

fechas importantes por medios diferentes a la red social, fueron las normas más destacadas. La mayor parte de los encuestados coincidió en que la información publicada en un entorno digital tiene consecuencias en el medio físico.

El sociólogo Zygmunt Bauman (2013) sostiene que las redes sociales proveen de relaciones, no de amigos, en un momento de la historia en el que la comunicación se practica desde múltiples medios y entornos diferentes. La prudencia es buena compañera a la hora de aceptar o eliminar a algún "amigo" de nuestra lista de contactos. Esperar unas horas antes de formalizar la decisión ayudará a tomar la más adecuada.

Reig (2013) detalla los tipos, los valores o motivaciones que guían las interacciones personales en Facebook: comunicación, autoprotección, mantenimiento de las relaciones y consecuencias negativas para uno mismo y para los demás, tanto para amigos como para conocidos, aunque en función de la cercanía emocional se priman unos sobre otros.

Escoger una buena foto de perfil, desarrollar una biografía descriptiva, publicar contenido de calidad, destacar publicaciones; promover la participación de los seguidores; controlar la privacidad, no acomodarse en la que la comunidad ofrece por defecto; invitar a grupos, eventos u otras opciones adaptadas a los intereses de los invitados; ofrecer un tratamiento acorde al grado de familiaridad del contacto; diferenciar claramente el perfil -de carácter personal- de la página -idóneo para promocionar una bitácora o una empresa- y coartar la difusión de ideologías políticas o convicciones religiosas, garantizarán un uso adecuado de Facebook.

Crear contenido único y original, centrado en el tema; ser parcos en el envío de invitaciones a aplicaciones, juegos y grupos, evitando las convocatorias masivas; contener la inserción del link de publicaciones propias en muros ajenos sin consentimiento previo, por resultar invasivo; abstenerse de etiquetar a personas en fotos sin su permiso y conocimiento ni incluir a

133- *On the reception and detection of pseudoprofound bullshit.* Recuperado el 6 de diciembre de 2015, de http://journal.sjdm. org/15/15923a/jdm 15923a.pdf

sujetos que no aparecen en las imágenes, son prácticas que facilitarán la interacción entre los contactos.

Las tecnologías de la comunicación han traído consigo, amén de reconocidas bondades, la inclusión masiva de frases psicológicas motivadoras en los muros de las distintas redes sociales, convirtiéndose en tendencia recurrente en Facebook. Los usuarios que las incluyen en sus comentarios e informaciones pretenden mostrarse como individuos inteligentes, cultos y juiciosos, con profundidad de espíritu y de pensamiento. Un estudio[133] de la Universidad de Waterloo, en Canadá, revela que estos sujetos son menos reflexivos de lo que aparentan y atesoran una reducida fluidez verbal que camuflan con eslóganes inspiradores. Recomiendan los autores del análisis rechazar estas consignas teóricas como muestra de rigurosidad y análisis crítico.

Las imágenes atraen. Esa atracción, con una capacidad de impacto emocional enorme y superior a la de los textos, unido a la cercanía que transmi-

ten y empatía que generan, contribuyen al fortalecimiento del texto. Las fotografías fomentan actividades casuales y convierten al usuario en protagonista del contenido. Elaborar las imágenes, originales, únicas, divertidas, y acompañadas de una descripción o comentario; cuidar la luz, el enfoque, etc.; y recurrir a infografías, información de rápida visualización, contribuyen al uso efectivo de la comunidad más numerosa de España.

Se tiende a considerar extrema la mentira en las redes sociales, en especial en Facebook. Es más habitual mostrarse más auténtico en un entorno digital que en un contexto físico. Un estudio[134] realizado por dos universidades germanas, presentado en la 11ª Conferencia Internacional de Sistemas de la Información de Leipzig celebrada en 2013, pone de manifiesto que Facebook genera entre los usuarios el sentimiento de la envidia y el deseo de igualar la felicidad que se muestra en la red a través de las actualizaciones del estado. Situaciones personales y profesionales delicadas o comprometidas, o cualquier tipo de información que conlleve una connotación negativa, no suelen incluirse en los contenidos que se insertan. Triunfan los que transmiten felicidad, seguridad y éxito. Se oyen voces en contra de las redes sociales argumentando que las personas "virtuales" tienen preferencia frente a las físicas, al reducir gran parte del tiempo destinado al ocio y dedicarlo a gestionar las cuentas personales.

Considerada una herramienta de fidelización entre las marcas y sus seguidores al facilitar una comunicación directa y personal, y posibilitar el envío de información en distintos formatos: fotos, videos, ofertas, noticias, enlaces a páginas web, etc. Una adecuada gestión de Facebook para empresas demanda el uso de las aplicaciones que la red ofrece, utilización de los registros de las empresas en la comunidad, diferenciar las distintas conversaciones que se pueden mantener en la misma —mensaje privado para resolver dudas, mensaje directo, muro de Facebook para obtener retroalimentación, grupos para recabar opiniones y pestañas de la página para formularios de suscripción, imágenes para compartir, etc- y empleo del buscador de la red, mediante palabras clave o etiquetas.

134- Las malas noticias, ¿un tabú en Facebook? Recuperado el 13 de noviembre de 2015, de http://smoda.elpais.com/moda/las-malas-noticias-un-tabu-en-facebook/

Existe la creencia errónea de que los *hashtags* - ideales para compartir o recuperar información de forma fácil y rápida- no son útiles en Facebook. Su empleo no es tan habitual como en Twitter o Instagram debido a que Facebook no es una plataforma en la que las conversaciones se produzcan en tiempo real, y no aseguran un alcance mayor para las publicaciones. El propio uso que los usuarios hacen de la comunidad —en gran medida, seguir los movimientos de amigos y familia- tiene como consecuencia que no se saca el máximo partido a las etiquetas, a lo que hay que sumar el hecho de que incluir más de 3 en una publicación reduce las probabilidades de interacción e incrementa su consideración como *spam*.

La publicación de contenido de calidad que resuelva dudas o problemas, opiniones de expertos —en formato texto o video-, entradas contando experiencias personales —positivas o que muestren disconformidad o pesar con algún hecho notorio-, imágenes inspiradoras o divertidas, la solicitud de consejo o ayuda, la participación en sorteos y promociones y la aportación de valor a la audiencia mediante la cita de artículos compartidos por otros usuarios, generan interacción y fomentan la participación.

Un estudio publicado en la revista Personality and Individual Differences (Marshall et al., 2015) revela que atendiendo a la personalidad de los sujetos, es posible encontrar en Facebook usuarios intelectuales, curiosos y participativos que debaten sobre temas de importancia; extrovertidos, deseosos de comentar sus actividades sociales y personales; cuidadosos y exhaustivos, presumen de su cualidad de progenitores; narcisistas, generosos en la difusión de sus logros personales; y, neuróticos, ansiosos y dramáticos.

TWITTER. LA RED DE MICROBLOGGING

Twitter satisface la demanda de información en tiempo real por la permanente actualización de los resultados de búsqueda, convirtiéndose en el buscador ideal para conocer de qué se está hablando en cualquier momento, y en el protagonista de acontecimientos mundiales de gran alcance: elecciones, accidentes, terremotos, salud pública, atentados, revoluciones, etc.

Dirigirse a uno o varios usuarios, y que puedan ver el mensaje, exige mencionarlos con una arroba y sus nombres (@_netiqueta_) antes del texto dirigido a ellos. Iniciar un diálogo y generar una conversación se logra pulsando la tecla "responder" e insertando los comentarios oportunos.

Retuitear, reenviar un mensaje, original o modificado, de otra persona es un arte y una de las actividades más comunes en Twitter al asegurar la continuación de ideas, pensamientos, información, etc., de unas personas a otras y de unas redes a otras. Sus principales funciones se centran en facilitar la búsqueda de contenidos interesantes, agradecer los enlaces que se comparten y darse a conocer, ante la persona que originariamente publicó el mensaje y al resto de los participantes en la conversación.

Se puede pulsar la tecla "retuitear" o bien se copia y pega en la caja donde cada usuario inserta sus mensajes tras las siglas RT (RT @_netiqueta_ Texto), MT en el caso de que se haya introducido alguna modificación. También existe la posibilidad de reescribir la nota. Se suele recurrir a esta forma

cuando se incluyen enlaces -Texto vía @marcastrops-. Publicar "+1" antecediendo al mensaje, manifiesta apoyo expreso. Se enfatiza aumentando "0" al "+1".

Las etiquetas, características de Twitter, son palabras, siglas o frases sin espacio entre ellas, que se insertan en el tuit con la función de ordenar y contextualizar la conversación. Pueden ser externas, situadas al principio o al final del mensaje, o integradas en el texto utilizando palabras del mismo como etiquetas. Son convenciones útiles que facilitan los diálogos en la red y enriquecen la calidad de la información, merced a su clasificación por temáticas, facilidad de búsqueda, identificación de temas o tendencias, capacidad de resaltar los contenidos relevantes de cada tema concreto seleccionado, descubrimiento de secciones concretas, análisis de la actualidad, etc.

Los principales usos que ofrecen son el mantenimiento de conversaciones grupales, la obtención de documentación, el conocimiento de reacciones y respuestas a consultas formuladas, la posibilidad de compartir experiencias de diversa índole -personal, social, profesional, etc.- y el seguimiento y monitorización en tiempo real de eventos gracias a la publicación de *hashtags*. Brevedad, ingenio y representación de la marca son las características que se le atribuyen. Se recomienda la utilización de etiquetas cortas, concisas e identificables y la alternancia de mayúsculas y minúsculas (#MarCastro). La inclusión de una o dos etiquetas, máximo tres por mensaje, adecuadas al tema tratado, aportan valor e incrementan su funcionalidad.

Los *hashtags* más populares son *#FollowFriday* (#FF) y *#TrendingTopic* (#TT). Los *#FollowFriday* se realizan los viernes. Son recomendaciones a nuestros seguidores sobre otros a los que seguir. Es una manera de demostrar nuestro juicio y el conocimiento de los temas que manejamos, siguiéndose un criterio libre en cuanto a

la frecuencia de uso, contestaciones, recomendaciones, agradecimientos, etc. Solicitar un *#FF* no se acepta con agrado. Los #TrendingTopic, temas de moda calculados mediante un algoritmo complejo de Twitter, indican qué temas o tópicos son más repetidos en un momento concreto, representa un indicativo de su popularidad. Pueden ser frases sueltas o etiquetas -que incluyen pocos símbolos o números, no superan los 18 caracteres e incluyen letras mayúsculas y minúsculas- que en su amplia mayoría giran en torno a un tema novedoso y original, cuyas menciones crecen de forma exponencial.

Las redes sociales son conversación, y fomentar la conversación y establecer relaciones entre los usuarios de Twitter implica alcanzar una armonía entre contenidos propios y ajenos, ofrecer una comunicación humana y cercana, escuchar a la audiencia, marcar "me gusta", citar retuiteos, hacer comentarios interesantes, responder consultas, comentar valoraciones, practicar la empatía, no agotar los caracteres permitidos en cada mensaje, incluir imágenes y videos que acompañen a los textos, utilizar verbos y adverbios, emplear palabras "retuiteables"[135] y con hiperenlaces, utilizar símbolos y llamadas a la acción, y cuidar la elección del título.

Optimización de la biografía –aprovechar los 160 caracteres disponibles, con palabras claves y localización real-, variedad en los contenidos –los tuits que incluyen imágenes son considerados más atractivos-, innovar en las interacciones que se realizan –publicar videos de hasta 30 segundos de duración–, contestar de forma original, responder regularmente las menciones recibidas, seguir a listas de influyentes y mostrar los puntos fuertes que se demuestran en entornos offline convierten a su autor en un tuitero de éxito.

La estructura simple -sujeto+verbo+predicado- se adapta perfectamente al estilo recomendado en Twitter. Las formas verbales que mayor aceptación tienen son los nombres propios, sustantivos en plural y verbos en tercera persona del sin-

135- Tú, Twitter, gracias, ayuda, por favor, gratis, números...

ASHTAGS

gular. Los signos de puntuación: punto ("."), dos puntos (":") e interrogación ("?") y exclamación de cierre ("!") son bien aceptados, al contrario de lo que sucede con el punto y coma (";"). Incluir enlaces e imágenes multiplica las probabilidades de un tuit de ser retuiteado, consigue más interacción y genera más respuestas.

Las prácticas que facilitan la relación cordial y amable en la Red sugieren evitar el seguimiento "en masa" con el objetivo de incrementar súbitamente el número de seguidores, o seguir a otras personas para lograr su seguimiento y una vez alcanzado, "dejar de seguirles"; no solicitar que se compartan los tuits o marquen como favoritos, es una reacción que debe producirse de forma natural; compartir con los seguidores contenidos propios y ajenos que aporten valor; incluir un máximo de 2 o 3 etiquetas por entrada; defender la libertad de expresión que se practica en el ciberespacio, que implica rechazar el uso de insultos y descalificaciones; y, la ausencia de faltas de ortografía.

En algunas ocasiones elevar el número de seguidores es el único objetivo que se persigue en Twitter. El medio más eficaz y adecuado para lograrlo es seguir a aquellas personas representantes de los temas que interesan, participar en conversaciones y aportar contenidos útiles, apropiados y creativos.

Aun así, existen métodos para incrementar esta cifra como publicar a la hora del día de mayor "movimiento" unos tuits creativos con una extensión de entre 80 y 100 caracteres, con enlaces atractivos e interesantes, que incluyan contenido visual, y mención a personas o cuentas vinculadas a la información proporcionada; difundir la cuenta de Twitter en todas las cuentas que se dispongan en otras redes sociales; intercambiarla en todos los eventos a los que se asista, y añadirla a la firma en los correos electrónicos; publicar regularmente contenidos de interés de autoría propia y ajena, citando la fuente o el retuit; participar con regularidad en conversaciones; hacer RT y marcar favoritos; hacer uso adecuado de las etiquetas; y, completar el perfil con fotografía y datos representativos en la biografía. Publicar diariamente contenidos interesantes, atractivos y relevantes facilita construir

una comunidad leal en Twitter. Triunfan las imágenes coloridas de buena calidad, las infografías, los pantallazos, las citas con ilustraciones y las instantáneas de acción. Comunicar, aportar y compartir, definen la filosofía de esta red dinámica.

Son de rechazo general, y consideradas prácticas penosas en Twitter, el envío de mensajes privados automatizados; el retuiteo de elogios; la inclusión de etiquetas en todos los tuits; el agradecimiento público de todas las acciones que favorecen (seguidores, tuits, retuits, favoritos, etc.); la solicitud insistente, de forma pública o mediante mensaje privado, de acciones en favor de uno; la mención a personas en conversaciones en las que no tienen interés en participar; la crítica o juicio, con o sin mención expresa de su nombre de usuario; la eliminación de los comentarios negativos; el plagio de tuits; el incremento del número de sujetos que se sigue, sin criterio que lo justifique u objetivo claro; la ausencia de contenidos de autoría propia; la publicación de forma inconstante, sin un patrón cronológico; la demanda insistente de seguidores, retuits, etc.; el descuido de los temas tratados en los comentarios: inoportunos, inadecuados, privados, etc.; el abuso de las etiquetas; la exigencia de respuestas a las dudas o comentarios; la creación de un lenguaje propio repleto de errores ortográficos, o la crítica de otros; la extensión de rumores; la dirección a enlaces que exijan registro previo para la lectura de la información; la realización de discriminaciones y reproches frecuentes; la utilización exclusiva de la cuenta para promocionar servicios o productos; y, comentarios del evento en el que se participa de forma insistente. Agradecer una mención o un favorito no justifica la solicitud de seguidores o retuits.

Twitter es considerado un altavoz de contenidos en tiempo real. Una red cuyas características la han convertido en una herramienta que ofrece información a gran velocidad, y una *viralidad* muy valorada como fuente de tráfico entre medios de comunicación digital y bitácoras, por la tendencia a retuitear y compartir información entre sus usuarios.

136- La estrella de favoritos era utilizada frecuentemente en las encuestas rápidas que se realizan en Twitter. Las opciones de respuesta son la propia estrella o el retuit. De esta forma, se facilitaba la participación de un mayor número de usuarios.

Una de las opciones más utilizadas de Twitter, hasta noviembre de 2015, era marcar "favoritos" (FAVs) pulsando el botón en forma de estrella[136] situado en la parte inferior del mensaje. A partir de la citada fecha, la estrella fue sustituida por el corazón que simboliza "Me gusta". Aunque originariamente se crearon para indicar que un tuit era del agrado de uno, variadas razones mueven a los seguidores a realizar esta acción, principalmente, la expresión de aprobación del texto y/o imagen incluidos, un distintivo para su lectura y discusión en un momento posterior, una muestra de acuerdo, un reconocimiento a la emoción provocada, como fórmula para atraer la atención hacia un mensaje, una forma de apoyo al mensaje de la persona cercana que lo escribió, facilitando su visibilidad o la finalización de una conversación.

Agradecer las menciones y los tuits de forma pública o mediante un mensaje directo (DM) es una práctica desaconsejada ya que se considera que "mete ruido en el sistema" e inunda la bandeja de entrada —en el caso de querer hacerlo por este medio, enviar un mensaje personalizado, nunca automatizado, considerados muy impersonales—. La mejor manera de mostrar agradecimiento es retuitear el mensaje, seguir al usuario, agregarlo a una lista o citar la fuente que propició la información.

La extensión, redacción, sintaxis y mención a usuarios diferencian el contenido que se facilita en Twitter del ofrecido en Facebook, por lo que no se recomienda la publicación automática de tuits en Facebook. La desaprobación se sustenta en las características de los textos publicados en Twitter: concisos, rigurosos y sintéticos, y a la no exigencia de reciprocidad en las relaciones que se mantienen en la misma. Recomendación a la que no se suman O´Rilley y Milstein (2014) al invitar a integrar Twitter con todas las herramientas sociales de la Red en las que se posea cuenta, para generar mayor "visibilidad".

Twitter ha incorporado una nueva funcionalidad, para uso y fidelización de los usuarios de la red: la posibilidad de realizar encuestas en las actualizaciones de los internautas, que permanecen activas durante 24 horas. El botón, situado debajo del cuadro de texto al lado del icono de la cámara fotográfica, permite incluir una pregunta y dos respuestas opcionales.

Las variedades dialécticas del español han sido objeto de estudio (UIB, 2014) de dos investigadores de la Universidad de Toulon (Francia) y del Instituto de Física Interdisciplinar y Sistemas Complejos (CSIC-UIB) de España. El estudio de Gonçalves y Sánchez, *Crowdsourcing Dialect Characterization through Twitter*[137], analiza los dialectos del español mediante el análisis de 50 millones de tuits publicados en Twitter a lo largo de dos años, mayoritariamente en España, Hispanoamérica y Estados Unidos.

El análisis, concordante con los tradicionales estudios de la lengua que achacan su uso a los patrones de asentamiento de la administración colonial española, revela que existen fundamentalmente dos variedades internacionales del español. La primera, utilizada en las principales ciudades españolas

137- Crowdsourcing Dialect Characterization through Twitter: DOI 10.1371/journal.pone.0112074

y americanas, que responde a la homogeneización de la lengua por los mecanismos de nivelación. La segunda, usada en zonas rurales, presenta tres variedades: una empleada en España, otra usada en el Cono Sur y una tercera utilizada en el resto de Hispanoamérica.

Las redes están sometidas al ordenamiento jurídico de cada país. Las malas prácticas están sujetas a la misma punibilidad que las realizadas en un entorno físico. El presidente de la Asociación de Internautas (AI), Víctor Domingo, ha advertido que en Internet, como en la vida física, "quien la hace, la paga", y ha animado a los cibernautas a pensar detenidamente lo que publican en redes sociales porque la trascendencia puede ser muy grande.

LINKEDIN. LA RED SOCIAL PARA PROFESIONALES

LinkedIn es una red social dinámica enfocada al entorno laboral, un escaparate profesional en constante evolución. Perfiles profesionales y de empresas -que publican ofertas de trabajo y localizan expertos, captan talentos, preseleccionan candidatos por los comentarios que publican y los que se publican sobre los mismos- conviven naturalmente en una comunidad cuyas señas de identidad son el *networking* y la proactividad. La Red reúne empleados, que crean comunidades y aprovechan el conocimiento interno, y da a conocer productos y servicios de las marcas, promocionándolos ante públicos segmentados.

LinkedIn permite a los profesionales crear su marca personal y ampliar su lista de contactos, estableciendo sinergias con nuevos o antiguos colegas; generar oportunidades de negocio, y el encuentro de financiación o inversores para un proyecto; conocer los temas que preocupan al sector, y documentarse sobre los debates y artículos de interés del sector o profesión; intercambiar experiencias, opiniones, inquietudes, etc. con colegas; dar a conocer la empresa y los productos o servicios que ofrece, así como recomendar los de otros; localizar clientes o proveedores potenciales; favorecer la conversión de sus usuarios en expertos referentes en su materia y facilitar la búsqueda de empleo.

La comunidad es empleada por los reclutadores para rastrear a futuros candidatos. Una búsqueda, conocida como "análisis silencioso y efectivo", que tiene por objeto analizar comportamientos y actitudes. Los usuarios pueden elaborar sus estrategias y sacar partido a esta red profesional contactando con expertos e *influencers*. Aportar utilidad a la comunidad es el elemento clave que tienen que satisfacer sus usuarios.

Un perfil completo y actualizado aporta grandes beneficios a sus miembros, entre los que destacan la posibilidad de construir una red de contactos eficiente, visibilidad a coste cero ante millones de personas y posibilidad de participar en grupos de interés, de temática general o acotada a una materia concreta.

La anatomía del perfil de LinkedIn incluye varios apartados: fotografía, titular profesional, extracto, trayectoria profesional y académica, aptitudes y valoraciones, recomendaciones y proyectos; a todos hay que prestarles una atención especial. Ofrecer un perfil completo, determinante en la creación de la marca personal, es una cualidad indispensable para destacar en la mayor red social profesional del mundo.

El perfil de LinkedIn debe ser profesional, descriptivo, preciso, atractivo y visualmente claro. Admite videos, presentaciones, documentos, etc. Debe componer un retrato profesional que transmita de forma específica la especialidad que define a su protagonista. Efectivo, analítico, paciente, innovador y apasionado son términos considerados poco descriptivos debido a su masiva utilización como carta de presentación, saturando los perfiles de miles de usuarios y provocando su falta de contenido. Se busca potenciar la creatividad del usuario a la hora de describirse.

Un perfil que incluya una foto profesional en la portada tiene 14 veces más posibilidades de ser visto que uno sin imagen. La presidenta de LinkedIn en España y Portugal defiende que puede ser un selfi. Sin embargo, expertos en redes sociales consideran que ofrecer una autofoto como imagen de perfil muestra a su titular como un individuo eg lolatra.

La imagen de perfil es la carta de presentación que se ofrece en LinkedIn por lo que se debe incluir una foto frontal, o ligeramente ladeada, de buena calidad que refleje a su protagonista, ofreciendo una sonrisa, como un profesional. Se descartan aquellas imágenes –pixeladas, recortadas o borrosas- con vestimenta deportiva, poses inadecuadas, preciosas vistas de fondo, practicando los deportes favoritos –por muy singulares que sean-, mostrando el despacho, con el peinado más sofisticado tapando la cara, fumando, con una copa en la mano, acompañado de la familia o de la mascota

favorita, presentando la cara oculta tras unas gafas de sol o el logotipo de la empresa.

El titular profesional, con una extensión de 120 caracteres, aparece debajo del nombre y apellidos así como en las búsquedas de LinkedIn. Debe ofrecer una definición como profesional, empleando palabras clave que describan los puntos más importantes de la vida laboral —en caso de no cubrirlo, la red coloca por defecto el cargo actual-. Una propuesta de valor, no una descripción del cargo o empresa en la que se trabaja en la actualidad, que colabora en la creación de la marca personal. Qué se ofrece, de qué manera se puede ayudar a aquellas personas que buscan ese perfil concreto, empleando un lenguaje claro, descriptivo, entendible y directo.

El extracto del perfil permite hablar de uno mismo, de las motivaciones y habilidades en 2000 caracteres y presenta a su autor como un trabajador singular, mostrando el lado humano del titular. Un extracto dinámico mediante el empleo de la primera persona del singular, y palabras clave, faculta al usuario a revelar las cualidades que le describen como profesional: logros profesionales y académicos, habilidades, actitudes, destrezas, competencias, etc. Se recomienda la inclusión de enlaces a comunidades sociales, documentación -física o multimedia- y la creación de nuevas aptitudes que definan los campos de especialización —palabras clave que se repiten a lo largo del perfil-.

Facilitar datos de contacto, e invitar a contactar a todo sujeto con el que potencialmente se puedan realizar colaboraciones en distintos formatos, es un consejo obvio que muchos de los usuarios de la comunidad no atienden —debido a la ausencia de dirección de correo electrónico o número de teléfono móvil en el perfil- e impide interactuar con todas aquellas personas con las que se ha establecido conexión.

El extracto debe dejar claro "qué puede hacer" el usuario, la disposición a realizarlo —búsqueda activa de empleo, cambio de trabajo, etc.- encaje en la

cultura de la empresa −coincidencia con la misión y valores que defiende− y contener llamadas a la acción −invitaciones a conectar, visitas a la web, solicitud del currículo, etc.-.

La trayectoria profesional incluye educación, estudios y cursos de formación realizados, relacionados con la especialidad que se presenta; la experiencia, trabajos realizados, objetivos alcanzados, incluyendo imágenes; los idiomas que se dominan; libros y capítulos de libros editados; colaboraciones en medios de comunicación, revistas físicas y digitales, blogs, etc.; recomendaciones, que refuerzan y dan credibilidad a aptitudes y fortalezas; y, aptitudes y validaciones −comunicación, protocolo, oratoria, liderazgo, redes sociales, etc.-.

Demostración de la capacidad profesional, disposición hacia el trabajo, flexibilidad, capacidad de adaptación a personas, formas, procesos, metodologías, etc., y llamadas a la acción, son interrogantes que despeja el extracto, que ofrece datos reales verificables, corrección ortográfica y gramatical, organización de aptitudes, participación en grupos y actualización del currículo.

Voluntariado, temas y causas benéficas: servicios y acciones sociales, derechos civiles y humanos, educación, arte y cultura, etc; grupos a los que se pertenece como miembro: netiqueta, comunicación, protocolo, marketing, liderazgo, asociación X, expertos en, etc.; y, empresas, universidades, instituciones, asociaciones, etc. que se siguen, constituyen otras informaciones que facilita el perfil.

Los principales errores que se cometen en LinkedIn consisten en ofrecer un perfil incompleto, con un *avatar* inapropiado, una imagen colectiva o de baja calidad; confundir el funcionamiento de LinkedIn con otras redes más personales, como Facebook; notificar a los contactos todos los cambios realizados; enviar invitaciones sin

comunicación en entornos digitales

objetivos definidos; enviar mensajes colectivos, sin seleccionar audiencia en función de la intención perseguida; no facilitar datos de contacto; publicar únicamente contenido en formato texto, descartando imágenes, videos, presentaciones o proyectos; utilizar mensajes predefinidos por la red, despersonalizados, en sustitución del envío de mensajes privados para contactar con nuevos usuarios; configurar incorrectamente la privacidad; descartar el uso de etiquetas para clasificar a los contactos por categorías, en función de los intereses y necesidades; disponer de un reducido número de contactos; desestimar la inclusión de enlaces a la página web, correo electrónico y Twitter; y, citar en el titular el puesto de trabajo habitual, sin mencionar la profesión y el sector al que se pertenece.

La saturación de actualizaciones o, por el contrario, abrir un perfil y no realizar aportaciones —noticias de valor, participación en debates, etc—, la ausencia de foto de perfil, un titular profesional mejorable, descuidar las entradas del buzón dilatando en el tiempo la respuesta o ignorarándola, enviar muchos mensajes, notificar las nuevas entradas en los blogs a todos los contactos, tener dos o más perfiles con nombres idénticos y realizar visitas anónimas a otros perfiles —síntoma de intenciones opacas—, son conductas consideradas molestas para los usuarios de LinkedIn.

Aceptar todas las invitaciones que se reciben, con el objeto de aumentar las oportunidades de contacto, promoción, etc. es la recomendación de expertos en la red profesional, sobre la premisa que defiende que el poder de LinkedIn está en los contactos de los contactos. Eliminar contactos, por conductas inapropiadas o aportes insignificantes, es una opción a disposición de los usuarios que pueden poner en práctica sin que la red lo notifique a los interesados.

Los internautas controlan las oportunidades, la información y los recursos. Además de tener un buen perfil en LinkedIn, se aconseja ser activos, con una actividad constante y diaria, dedicando al menos 20 minutos al día a esta red social profesional. Revisar las interacciones que facilitan el sobre —mensajes recibidos a los que hay que responder—, la bandera —validaciones, comentarios, etc.- y la silueta—. Buscar dos o tres grupos donde demostrar la experiencia y, aprender de los demás. Seguir a personas a las que se admira y de las que se puede aprender.

PROFESIONAL

Entre las distintas estrategias que se ofrecen para triunfar en una red social compleja como LinkedIn se distinguen la desactivación de la difusión de la actividad, la modificación de la foto de perfil, notificar la realización de cursos de formación u otra información relevante para los contactos; la personalización de la URL del perfil; el refuerzo de la marca personal en los buscadores; sumarse al número máximo de grupos que la red permite, 100, -amplía la red de contactos y permite enviarles mensajes, a los que así lo hayan configurado-; presentar el perfil en todos los idiomas que maneje el usuario; y, una vez a la semana, en función del perfil de contacto que se desee contactar, enviar invitaciones, hasta un máximo de 3000.

Unirse a grupos relevantes en función de los objetivos que motivan la presencia en la comunidad, y seguir el hilo argumental que define a cada uno; identificar a los miembros más activos, interactuando con ellos; interesarse por los intereses y necesidades, fomentando la interacción; y, elaborar la participación en los hilos de discusión, cuidando los mensajes que se comparten, son acciones que aportan valor y enriquecen la presencia en una comunidad hecha por y para profesionales.

La descripción del cargo o especialidad que define al miembro, el extracto profesional y las aptitudes son los apartados que más se valoran y visualizan. Conviene repetir dos o tres palabras claves a lo largo del perfil, crear etiquetas propias que definan campos de especialización y ser cuidados a la hora de validar aptitudes ajenas así como revisar, crear o modificar las que aparecen en el perfil —eliminando las que no sean interesantes o relevantes, o resulten perjudiciales-.

En diciembre de 2015, la Red presenta la nueva aplicación, social, intuitiva y cercana, para IOS y Android. Los principales cambios que presenta afectan al orden lógico los contenidos. Cinco pestañas permiten organizar las opciones que ofrece la plataforma: Inicio (selección de las actualizaciones que interesan), Tú (perfil público) Mensajes (permiten incluir animaciones), Mi red (informe de las novedades) y Búsqueda.

INSTAGRAM. LA RED DE LAS HISTORIAS VISUALES

La red de las historias visuales es una de las comunidades sociales con más usuarios registrados y activos del mundo. Comunidad que con el tiempo va incrementando las aplicaciones que ofrece: combinación de fotos, creación de pequeños videos, envío de imágenes de forma privada, recepción de notificaciones de las cuentas favoritas, ocultación de fotos en la que un usuario es etiquetado, selección de filtros más utilizados y ocultación de aquellos que no se emplean, etc.

Una red social amigable que transmite emociones y propone la digitalización de los sentimientos. Instagram permite subir imágenes fijas o en movimiento, hasta 60 segundos; enviar fotos por mensaje directo o iniciar una conversación con cualquier usuario de la plataforma.

Ser original y creativo, experimentando con los filtros, enfoques o matices de color en las imágenes; mostrarse humano, resaltando la parte personal; compartir e interactuar con otros usuarios, aportando comentarios, pulsando "Me gusta", insertando etiquetas, fomentando la interacción y la conversación; completar la biografía, la presentación en la comunidad; buscar tendencias y aplicarlo a las imágenes; y, promocionar la cuenta, enlazándola en el blog, la biografía de otras redes sociales, incluso hay quien la incluye en las tarjetas de visita, son prácticas que garantizan el éxito en Instagram.

Las citas alusivas a la volatilidad de las ideas, frases humorísticas sobre la felicidad, alegatos con marcado carácter irónico o cínico, proposiciones motivadoras, máximas que reflejan de forma creativa la capacidad de autocrítica de sus autores y alusiones a la tecnología, llenan los estados de Instagram.

La anatomía de una entrada perfecta en Instagram se sintetiza en emplear imágenes visualmente atractivas de gran calidad, que aprovechen la luz natural −soleado, luminoso, etc.- capten la atención, sean persuasivas e inclu-

yan preguntas cerradas, favorezcan la retroalimentación, e incluyan más de once *hashtags*.

Es aconsejable emplear *hashtags* cortos, que faciliten la comprensión y la lectura, incluidos al final de la descripción, relacionados con el tema tratado y dirigidos al público objetivo. Los estudios analizados sobre Instagram revelan que el uso masivo de *hashtags* en una publicación, más de 10, eleva las posibilidades de interacción entre sus usuarios —el porcentaje de mujeres es mayor que el de hombres-.

Emplear las etiquetas adecuadas permite aumentar la visibilidad, al llegar a más personas y aumentar el número de seguidores así como explicar la publicación a la que acompañan. Algunos de los *hashtags* más utilizados por los usuarios activos son #love, amor, cariño; #me, autorretratos; #POTD (*Photo of the Day*) y #GOTD (*Gram of the Day*), foto del día, expresión de la mejor foto que publica el usuario; #OOTD (*Outfit of the Day*), vestimenta del día, empleado por personajes famosos; #LMAO (*Laughing my ass off*), empleada cuando algo resulta muy gracioso; #WCW (*Woman Crush Wednesday*), etiqueta usada los miércoles para homenajear a una mujer hermosa, #MCM (*Man Crush Monday*), se distingue del anterior en que sigue a la foto de un hombre que se comparte los lunes; #TBT (*Throwback Thursday*), etiqueta fotos de la infancia publicadas los jueves #FBF

comunicación en los entornos digitales

(*Flashback Friday*), imágenes infantiles editadas los viernes; #BNW (*Black and White*), acompaña a las publicaciones en blanco y negro; #SMH (*Shake my Head*), sigue a las escenas ridículas; #Instamood, expresa el estado de ánimo en la imagen publicada; #Regram, se añade al compartir la entrada de otro usuario, que se menciona; #Fitspo, hashtag que acompaña a los hábitos saludables; #Foodporn, etiqueta para comidas apetecibles, agregadas por zonas geográficas; #Petstagram, etiqueta de las mascotas de los usuarios y #SelfieSunday o #SelfieFunday, hashtag por excelencia empleado en los selfis, se usa todos los días de las semana.

Existen *hashtags* cuya utilización no se recomienda, al no aportar información alguna –destacan #photography, #popular, #iphone, etc- o solicitar seguidores y aprobaciones de las publicaciones -#F4F (*Follow for Follow*), #L4L (*Like for Like*), #follow, #followus, #tagsforlikes, etc.- y otros que están vetados por la propia red, al hacer referencia a actividades o conductas inapropiadas, -#proanorexia, #probulimia, #loseweight, #pierdepeso, etc.-

Compartir con la comunidad opiniones e imágenes de los eventos a los que se asiste –local, ponentes, programa, etc.- es una práctica habitual de los usuarios de Instagram. Los *hashtags* actúan como hilo conductor de una conversación multitudinaria, por lo que deben ser breves, simples y únicos. Unas etiquetas que se combinan con otras relacionadas con el acontecimiento, se comunican a través de la página web del acto y los soportes físicos empleados en su promoción y se comparten en las publicaciones realizadas en las redes sociales.

Las máximas, frases con mensaje, propias o ajenas -citando fuente original- motivan y transmiten valores y misión; momentos especiales, o el día a día; publicaciones divertidas mostrando parecidos razonables entre los autores, amigos, etc. y personajes populares; fotos con efecto gran angular o en modo salto; fotos o videos editados con música, a cámara lenta o acelerados; recopilaciones de imágenes, mencionando a los asistentes; selfis grupales; el "antes y después" de un

proceso; pasatiempos en forma de sopas de letras o adivinanzas, fomentan la participación y la interacción entre los usuarios; recomendaciones de contenidos, productos, etc.; son las publicaciones que más gustan a los miembros de Instagram.

Elevar el número de "Me gusta" que reciben las fotos, e incrementar el numero de seguidores, se consigue insertando comentarios positivos en las publicaciones de otros usuarios, publicando entre 1 y 3 imágenes diarias originales, con un mínimo de 3 a la semana, interesantes, con buena composición y óptima resolución, en la horas de mayor audiencia, desde temprano hasta media mañana y en las horas del almuerzo y la cena —el domingo es el día más exitoso para que publiquen los trabajadores por cuenta ajena, las marcas dominan los jueves-. Imágenes que incluyan *hashtags* apropiados, emoticonos divertidos, comentarios al pie o preguntas divertidas, ubicación —de obligada inclusión en el caso de tratarse de marcas- y, etiquetado de las personas presentes. Señalar, como dato curioso, que la ausencia de filtros, el #nofilter, es el filtro más utilizado y que las imágenes en las que el azul predomina sobre el rojo o el amarillo, consiguen un mayor número de interacciones.

Ofrecer un perfil privado, sin enlaces a la biografía, con publicaciones previsibles e inconsistentes, carentes de comentarios o centrado en contenidos promocionales y sin etiquetas que identifiquen la temática, es el perfecto ejemplo de los errores a evitar en Instagram. A los que hay que sumar la ausencia de interacciones con otros miembros y falta de alianzas descuidando la ampliación de la red de contactos.

Formar parte de la lista de sugerencias que la red ofrece a sus usuarios —convertirse en usuario sugerido e incrementar el número de comentarios positivos, seguidores y el grado de implicación entre los mismos- se puede conseguir aportando una perspectiva original de la comunidad, inspirando la creatividad de sus miembros mediante la publicación de

fotos y videos, compartiendo fotos maravillosas y estableciendo tendencias. La red ofrece la posibilidad de enviar imágenes a través de mensajes directos a un grupo formado por un máximo de 15 personas, ocultar o eliminar etiquetas nominales o geográficas, añadir *hashtags* en los comentarios después de subir la imagen, utilizar los filtros que ofrece la comunidad sin necesidad de editar la fotografía así como compartirlas en otras redes sociales tras su publicación en Instagram.

Para que la cuenta de Instagram de una marca funcione se recomienda emplear el mismo nombre en los perfiles de las distintas redes sociales, crear etiquetas específicas para obtener un buen posicionamiento, no monopolizar el muro con fotos de los productos o servicios ofrecidos, proponer concursos en los que se sortean productos, colaboraciones, etc., atender la cuenta —responder a comentarios, interactuar en las publicaciones de otros, etc.- y buscar colaboraciones con marcas afines para crear sinergias.

FUENTES DOCUMENTALES: BIBLIOGRAFÍA Y WEBGRAFÍA

LIBROS

ALCÁNTARA, A. (2015). #Superprofesional. Tómate tu vida profesional como algo personal. 6 superpoderes para aprovechar tu talento y alcanzar tus objetivos. Barcelona: Alienta.

ALONSO, M. (2015). We Instagram. Barcelona: Espasa Libros.

BAUMAN, Z. Y LYON, D. (2013). Vigilancia líquida. Barcelona: Paidós.

BOYD, D. (2014). It's complicated. The social lives of networking teens. New Haven: Yale University Press.

CALDINI, R. (2015). Influencia. Madrid: Ilustrae.

CAMPOS, J.C. (2015). ¿Por qué gustan tanto las redes sociales?. Tagus.

CARR, N. (2011). Superficiales. ¿Qué está haciendo Internet con nuestras mentes? Madrid: Taurus.

COLLADO, E. (2015). Marca eres tú. Cómo mejorar el futuro profesional a través de tu marca personal. Madrid: Rasche.

DÍAZ-AROCA, E. (2014). Cómo tener un perfil 10 en LinkedIn. Barcelona: Editorial Códice.

FERNÁNDEZ, S. (2004). Dos grados: Networking. Cultiva tu red virtual de contactos. Madrid: LID Editorial Empresarial.

GALLEGO VÁZQUEZ, J.A. (2012). Comunidades virtuales y redes sociales. Madrid: Wolters Kluwer España.

HAVERKATE, H. (1994). La cortesía verbal. Estudio pragmalingüístico. Madrid: Editorial Gredos.

HIMANEN, P. (2002). La ética del Hacker y el espíritu de la era de la información. Barcelona: Destino Libros.

LI, C. Y BERNOFF, J. (2008). El mundo de Groundswell: Cómo aprovechar los movimientos sociales espontáneos de la Red. Barcelona: Empresa Activa.

MARTOS, A. (2014). Facebook para mayores. Madrid: Ediciones Anaya Multimedia.

MEJIDE, R. (2014). Urbrands. Barcelona: Espasa.

MORENO, M. (2015). Cómo triunfar en las redes sociales. Barcelona: Centro Libros PAPF, SLU.

O REILLY, T. Y MILSTEIN, S. (2012). Twitter. Madrid: Ediciones Anaya Multimedia.

ORIHUELA, J.L. (2011). Mundo Twitter. Barcelona: Alienta.

PANIAGUA, S. (2015). LinkedIn práctico y profesional. Madrid: Ra-Ma Editorial.

PINO, J. B. (2015). La magia de la comunicación. Madrid: Mandala Ediciones.

RAINE, L. Y WELLMAN, B. (2012). Networked: The New Social Operating System. MIT Press.

REIG, D. (2012). Socionomía ¿Vas a perderte la revolución social? Barcelona: Ediciones Deusto.

RISSOAIN, R. (2015). Redes Sociales. Comprender y dominar las nuevas herramientas de comunicación. Barcelona: Ediciones Eni.

SCHAEFER, M. W. (2014). El Tao de Twitter. Madrid: Ediciones Anaya Multimedia.

STALMAN, A. (2014). BrandOffOn. El branding del futuro. Barcelona: Ediciones Gestión 2000.

STONE, B. (2015). Cosas que me contó un pajarito. Confesiones de una mente creativa. Barcelona: Ediciones Gestión 2000.

TASCÓN, M. (DIR.) (2012): Escribir en internet. Guía para los nuevos medios y las redes sociales. Barcelona: Galaxia Gutenberg/Círculo de Lectores.

TASCÓN, M. Y ABAD, M. (2011). Twittergrafía. El arte de la nueva escritura. Madrid: Los libros de la CATARATA.

VAL, J. D. (S. F.). Apodos, motes y cognomentos. Recuperado el 12 de noviembre de 2015 de http://www.cervantesvirtual.com/obra- visor/apodos-motes-y-cognomentos-2/html/

CAPÍTULOS EN LIBROS

CRYSTAL, D. (2013). Internet y los cambios en el lenguaje. En C@mbio: 19 ensayos sobre como internet está cambiando nuestas vidas. Open Mind. Recuperado el 30 de noviembre de 2015, de https://www.bbvaopenmind.com/articulo/internet-y-los- cambios-en-el-lenguaje/

LASAGNA, M. (2012). Colaborar en tiempos de cambio e incertidumbre. En Trabaja diferente. Redes corporativas y comunidades profesionales (pp. 37-74). Generalidad de Cataluña. Departamento de Justicia. Recuperado el 26 de noviembre de 2015, de http://www.dreig.eu/trabaja_diferente.pdf

SUBIELA, B. Y HERNÁNDEZ, S. (2012). Comunicación de crisis y redes sociales: ¿oportunidad o amenaza? En Nicolás, M.A. y Grandío, M. Estrategias de comunicación en redes sociales (cap. 9). Barcelona: Gedisa.

ARTÍCULOS EN LIBROS

CASTRO, X. (2012). Mensajería instantánea. En Tascón, M. (Dir.). Escribir en Internet. Guía para los nuevos medios y las redes sociales (pp. 131-150). Barcelona: Galaxia Gutenberg/Círculo de Lectores.

CASTRO, M. (2013). El uso social de los códigos no verbales en las relaciones humanas. En Rodríguez Torre, J. (coord.) (2013). Códigos comunicativos y docencia (pp. 127-144). Madrid: Visión Libros.

ARTÍCULOS DE REVISTAS CIENTÍFICAS

BOYD, D. Y ELLISON, N. (2008). Social Network Sites: Definition, History and Scholarship. Journal of Computer-Mediated Communication, 13, 210–230. Recuperado el 5 de junio de 2014, de http://onlinelibrary.wiley.com/doi/10.1111/j.1083-6101.2007.00393.x/pdf

CASSANY, D. (2015) "Las ortografías en Internet: exploración, datos y reflexiones", en Montoro del Arco, Esteban T. ed. Estudios sobre ortografía del español, Lugo: Axax. pág. 13-26.

CASTELLS OLIVÁN, M. (2001). Internet y la Sociedad Red. La factoría, (14-15). Recuperado el 14 de diciembre de 2013, de http://www.revistalafactoria.eu/articulo.php?id=185

PEYRÓ, B. (2015). Conectados por redes sociales: Introducción al Análisis de redes sociales y casos prácticos. REDE, Revista hispana para el análisis de redes sociales Vol. 26, #2, Diciembre 2015. Recuperado el 2 de diciembre de 2015, de DOI: http://dx.doi.org/10.5565/rev/redes.548

MARSHALL, T., LEFRINGHAUSEN, K. Y FERENCZI, N. (2015). The Big Five, self-esteem, and narcissism as predictors of the topics people write about in Facebook status updates. Personality and Individual Differences, Volume 85, October 2015, Pages 35–40. Recuperado el 17 de diciembre de 2015, de DOI:10.1016/j.paid.2015.04.039

TELLO, L. (2013). Intimidad y "extimidad" en las redes sociales. Las demarcaciones éticas de Facebook. Comunicar, XXI(41), 205-213. Recuperado el 19 de noviembre de 2015, de https://revistacomunicar.wordpress.com/2013/12/12/intimidad-y-extimidad-en-las-redes-sociales-las-demarcaciones-eticas-de-facebook/

DOCUMENTOS DE INTERNET

BABALLA, L. (2015). Cómo hacer que la cuenta de IG de mi empresa funcione. Recuperado el 23 de diciembre de 2015, de http://www.iloveinstagram.es/como-hacer-que-la-cuenta-de-ig-de-mi-empresa-funcione/

BEDERMAN, U. (2014). Las reglas de etiqueta para no quedar mal en la red. Recuperado el 3 de diciembre de 2015, de http://www.lanacion.com.ar/1664245-las-reglas-de-etiqueta-para-no-quedar-mal-en-la-red

BLANCO, J.M. (2015). Hay dos tipos de hashtags en Twitter pero solo uno te hace parecer novato. Recuperado el 20 de diciembre de 2015, de http://www.yorokobu.es/hashtags/

BONNÍN, A. (2014). Los 12 tipos de usuarios en Twitter. Recuperado el 29 de noviembre de 2015, de http://www.brandchats.com/los-12-tipos-de-usuarios-en-twitter-segun-brandchats/

CAPRIOTTI, P. (2014). ¿Quién influencia a los influencers? Recuperado el 5 de noviembre de 2015, de https://paulcapriotti.wordpress.com/2014/03/07/quien-influencia-a-los-influencers/

CARSI, A. (2015) Diez errores en LinkedIn que debemos evitar. Recuperado el 11 de diciembre de 2015, de https://www.linkedin.com/pulse/diez-errores-en-linkedin-que-debemos-evitar-angeles-carsi-lluch?trk=hp-feed-article-title-publish

CASILDA, A. (2015). ¿Sabes usar "WhatsApp" para tratar asuntos de forma profesional? Recuperado el 18 de diciembre de 2015, de http://www.expansion.com/emprendedores-empleo/desarrollo-carrera/2015/12/15/56705d8446163f14578b4672.html

CASTRO, M. (2015). Redes sociales. ¿Interactúas o corriges?. Recuperado el 16 de diciembre de 2015, de http://www.marcastro.es/blog/redes-sociales-interactuas- o-corriges

CASTRO, M. (2015B). Responder en redes sociales. Recuperado el 16 de diciembre de 2015, de http://www.marcastro.es/blog/responder-en-redes-sociales

CASTRO, M. (2015C). Cortesía digital. Los adjuntos en el email. Recuperado el 8 de diciembre de 2015, de http://www.marcastro.es/story/cortesia-digital-los-adjun- tos-en-el-email

CASTRO, M. (2015D). Ortografía en la Red. Recuperado el 24 de noviembre de 2015, de http://www.marcastro.es/blog/ortografia-en-la-red

CASTRO, M. (2013). Movimiento anti-phubing. Recuperado el 24 de marzo de 2014, de http://www.marcastro.es/blog/movimiento-anti- phubbing

CASTRO, M. Y CAMPOS, J. (2013). ¿Se debe parar una reunión para atender el teléfono?. Recuperado el 24 de junio de 2014, de http://www.marcastro.es/story/se-debe-parar-una-reunion- para-atender-el-movil

DANS, E. (2015)A Usando Twitter-a finales de 2015. Recuperado el 22 de noviembre de 2015 http://www.enriquedans.com/2015/11/usando-twitter-a-finales-de-2015.html

DANS, E. (2015B). Expandiendo el Like. Recuperado el 25 de octubre de 2015, de http://www.enriquedans.com/2015/10/expandiendo-el-like.html

DANS, E. (2014). Twitter, el marketing y las warrooms. Recuperado el 20 de noviembre de 2015, de http://www.enriquedans.com/2014/07/twitter-el-marketing-y- las-war- rooms.html

DE VICENTE, P. (2015). Grupos LinkedIn: guía de cambios que no te dejarán indiferente. Recuperado el 15 de diciembre de 2015, de http://www.exprimiendolinkedin.com/2015/ 12/grupos-linkedin-guia-de-cambios/

DEL VALLE, E. (2015). Cómo escribir para internet (I). Recuperado el 2 de diciembre de 2015, de http://www.socialmediaycontenidos.com/como-escribir-para-internet

EGEA, B. (2015). ¡Qué viene el… wasap! Recuperado el 21 de noviembre de 2015, de https://protocolarte.wordpress.com/2015/11/20/que-viene-el-wasap/

FUNDÉU (2015). Conclusiones del X Seminario Internacional de Lengua y Periodismo, San Millán de la Cogolla, La Rioja. 'Manuales de estilo en la era de la marca personal". Recuperado el 9 de noviembre de 2015, de http://www.fundeu.es/wp- content/uploads/2015/10/conclusionesDEF5.pdf

FUNDÉU (2014). Las frases de la segunda jornada. Recuperado el 8 de octubre de 2015, de http://www.fundeu.es/noticia/las-frases-de-la-segunda-jornada/

FUNDÉU (2012). Conclusiones de la I Jornada Fundéu BBVA-Aerco PSM. Recuperado el 15 de octubre de 2015, de http://www.fundeu.es/noticia/conclusiones-de-la-i- jornada-fundeu-bbva-aerco-psm-6967/

GRAU, F. (2013). Netiqueta en el uso de dispositivos móviles. Recuperado el 9 de diciembre de 2015, de http://blog.francescgrau.com/netiqueta-en-el-uso-de-dispositivos-moviles

INSTITUTO CERVANTES (2015). Resumen del Informa 2015: "El español: una lengua viva". Recuperado el 9 de noviembre de 2015, de http://eldiae.es/wp- content/uploads/2015/06/espanol_lengua-viva_20151.pdf

INSTITUTO NACIONAL DE TECNOLOGÍAS DE LA COMUNICACIÓN (2012). Guía para usuarios: identidad digital y reputación online. Recuperado el 10 de noviembre de 2015, de https://www.incibe.es/file/QeTWH8vXM1MtSH7Apl5n5Q

LÁZARO, M. (2015). Los nuevos grupos de LinkedIn: guía para no perderte. Recuperado el 25 de noviembre de 2015, de http://www.hablandoencorto.com/2015/10/guia- nuevos-grupos-linkedin.html

LÓPEZ, A. (2015). Cuidado con las aptitudes que pueden perjudicar tu marca personal en LinkedIn. Recuperado el 14 de diciembre de 2015, de http://retailmeetingpointtv.com/blog/cuidado-con-las-aptitudes-que-pueden-perjudicar- tu-marca-personal-en-linkedin/

LÓPEZ, C. (2015). Las malas noticias, ¿un tabú en Facebook? Recuperado el 13 de enero de 2015, de http://smoda.elpais.com/moda/las-malas-noticias-un-tabu-en- facebook/

MARAM, L. (2015). 3 secretos de los tuiteros de éxito. Recuperado el 18 de diciembre de 2015, de http://www.socialblabla.com/3-secretos-de-los-tuiteros-de-exito.html

MARQUINA, J. (2015). Tipos de usuarios en redes sociales con los que te tocará lidiar.

Recuperado el 17 de noviembre de 2015, de http://www.julianmarquina.es/tipos-de-usuarios-en-redes-sociales-con-los-que-te-tocara-lidiar/

MATEY, P. (2015). Narcisismo, la nueva religión. Recuperado el 19 de noviembre de 2015, de http://www.elmundo.es/vida-sana/2015/11/17/56448d7322601d81208b4624.html

MOLINA, A. (2015). Cómo usar Twitter y su lenguaje. Guía para no perderte. Recuperado el 30 de noviembre de 2015, de https://dejadsalirantesdeentrar.wordpress.com/2015/07/09/usar-twitter-lenguaje/?utm_content=buffer2afce&utm_medium=social&utm_source=twitter.com&utm_campaign=buffer

MUÑOZ, R. (2015). El día en que WhatsApp y wifi acabarán con la telefonia. Recuperado el 8 de diciembre de 2015, de http://economia.elpais.com/economia/2015/11/13/actualidad/1447434830_488406.html

OINK MY GOD (2015). Diccionario de Social Media: Las 59 palabras más importantes. Recuperado el 6 de diciembre de 2015, de http://oinkmygod.com/diccionario-de-social-media-las-59-palabras-mas-importantes/

OSI, (2014). Mis primeros pasos para convertirme en un internauta seguro. Recuperado el 9 de noviembre de 2015, de https://www.osi.es/es/actualidad/blog/2014/03/21/mis-primeros-pasos-para-convertirme-en-un-internauta-seguro

PURO MARKETING (2014). ¿Cómo y por qué compartimos información en las redes sociales? Recuperado el 22 de octubre de 2015, de http://www.puromarketing.com/42/22299/como-compartimos-informacion-redes-sociales.html

RAE (N.D.). Tecnicismos, neologismos y extranjerismos en el español. Recuperado el 14 de noviembre de 2015, de http://www.rae.es/sites/default/files/BILRAE_numero_6_0.pdf

REIG, D. (2013). Las reglas no escritas de las redes sociales. Recuperado el 17 de noviembre de 2015, de http://www.dreig.eu/caparazon/2013/01/13/reglas-no-escritas-faceboo/

RO, A. (2015). 27 tipos de publicación en Instgram y ejemplos para tu marca. Recuperado el 23 de diciembre de 2015, de http://aulacm.com/tipos-formatos-y-ejemplos-en-instagram

RUIZ, E. (2015). Compartir frases "profundas" en redes dice poco de tu inteligencia. Recuperado el 6 de diciembre de 2015, de http://tecnologia.elpais.com/tecnologia/2015/12/04/actualidad/1449241061_778657.html

SÁNCHEZ, J. P. (2015). WhatsApp y mail, ¿Ahorro y comodidad o profiláctico social? Recuperado el 5 de diciembre de 2015, de http://lapalancadelexito.com/organizaciones-saludables-2/whatsapp-y-mail-ahorro-y-comodidad-o-profilactico-social/?utm_source=feedburner&utm_medium=email&utm_campaign=Feed%3A+lapalancadelexito%2FYYen+%28La+Palanca+del+Éxito%29

SANTA, R. (2015). Buen perfil en LinkedIn. Recuperado el 12 de noviembre de 2015, de http://enredia.es/buen-perfil-en-linkedin/

SANTIAGO, I. (2015) 5 claves para analizar la mejor hora para publicar en redes sociales. Recuperado el 14 de diciembre de 2015, de http://ignaciosantiago.com/blog/socialmedia/cual-es-el-mejor-momento-para-publicar-en-las-redes-sociales/

SHEA, V. (1995). The core rules of etiquette. Recuperado el 10 de noviembre de 2015, de http://www.albion.com/netiquette/corerules.html

SOFÍA, A. (2015). Con qué frecuencia y en qué horarios debo publicar. Recuperado el 15 de diciembre de 2015, de http://www.anairas.com/con-que-frecuencia-y-en-que-horarios-debo-publicar/

STALMAN, A. (2014). Las personas en el corazón de la tecnología. Recuperado el 14 de noviembre de 2015, de http://www.tendencias21.net/branding/Las-personas-en-el-corazon-de-la-tecnologia_a125.html

UNIVERSIDAD DE LAS ISLAS BALEARES (2014). Descubren la existencia de dos superdialectos del español en Twitter. Recuperado el 3 de diciembre de 2015, de http://www.uib.es/es/noticies/Arxiu/Descubren-la-existencia- de-dos-superdialectos-del.cid358808

WORLD OF MOUTH MARKETING ASSOCIATION (2013). Influencer Guidebook. Recuperado el 3 de octubre de 2015, de http://womma.org/meet-wommas-new-influencer-guidebook-2013/

CONGRESOS: ACTAS, PONENCIAS Y VIDEOS

CASTRO, M. (2014). Evolución de las normas sociales desde el Congreso de Viena hasta la actualidad. Ponencia presentada en Congreso Internacional de Protocolo. VIII Jornadas sobre Protocolo, UNED, Madrid.

FUNDACIÓN SAN MILLÁN DE LA COGOLLA (2014). Conclusiones del IX Seminario Internacional de Lengua y Periodismo, San Millán de la Cogolla, La Rioja. 'El español del futuro en el periodismo de hoy". Recuperado el 16 de noviembre de 2015, de http://www.fsanmillan.es/conclusiones-del-ix-seminario-internacional-de-lengua-y-periodismo-el-espanol-del-futuro-en-el

GROMPONE J. (2010). Los neologismos científicos y tecnológicos en español. Ponencia presentada en el V Congreso Internacional de la Lengua, Valparaíso, Chile. Recuperado el 23 de octubre de 2015, de http://congresosdelalengua.es/valparaiso/ponencias/politica_economia_sociedad/grompone_juan.htm

IÑIGO-MADRIGAL, L. (2010). El lenguaje de los yahoosms. Ponencia presentada en el V Congreso Internacional de la Lengua, Valparaíso, Chile. Recuperado el 7 de diciembre de 2015, de http://congresosdelalengua.es/valparaiso/ponencias/lengua_comunicacion/inigo_luis.htm

SÁNCHEZ, M. (2014). El español global. Ponencia presentada en Comunica 2.0 "Escribir en internet". Simposio llevado a cabo en el III Congreso Universitario sobre Redes Sociales Campus Gandía, Valencia. Recuperado el 28 de noviembre de 2015, de https://www.youtube.com/watch?v=l1UvD1qYplo&list=UUMOUL ogHDzzWPV8yPBQUjQw&index=10

TESIS DOCTORALES

CASTRO, M. (2015). Evolución de las normas de etiqueta desde el medio analógico al entorno digital. La cortesía en las relaciones sociales en España. Universidad de Vigo, Pontevedra, España.

INFORMES

FUNDACIÓN ORANGE (2014). Informe anual sobre el desarrollo de la sociedad de la información en España, e-España 2014. Recuperado el 8 de diciembre de 2015, de https://www.proyectosfundacionorange.es/docs/eE2014/Informe_eE2014.pdf

PEW RESEARCH CENTER (2014). Digital Life in 2025. Recuperado el 30 de noviembre de 2015, de http://www.pewinternet.org/2014/03/11/digital-life-in-2025/

LENGUAJE PARA MOVERSE POR LA RED

Internet constituye un espacio con una terminología propia de términos castellanos, anglicismos, coloquialismos y neologismos. Conocer el vocabulario que define los hábitos de los usuarios, nuevas realidades, conceptos y objetos, nos permitirá manejarnos con soltura por la Red.

Accesibilidad. Capacidad de acceso a un contenido multimedia.

Active-X. Componentes adicionales que se pueden incorporar a las páginas web para dotar a éstas de mayores funcionalidades.

Actualización. Revisión o reemplazo completo del software (sistema operativo, navegador, aplicaciones) que está instalado en un ordenador para obtener la última versión. Las actualizaciones solucionan errores detectados e incluyen mejoras y nuevas funcionalidades.

Ad blockers. Programas que frenan la intrusión de la publicidad durante la navegación por la Red. También conocidos como *ad filters.*

Add-on. Programas que complementan o incrementan las funcionalidades de otros.

Adjunto. Archivo de cualquier tipo que se incluye en un correo electrónico para ser enviado junto con el mensaje.

Administrador. Persona o programa encargado de gestionar, realizar el control, conceder permisos, etc. de todo un sistema informático o red de ordenadores.

Adsense. Fórmula que permite a los administradores de páginas webs o blogs obtener ingresos a través de la inserción de publicidad en sus espacios.

Advergaming. Concepto resultante de unir advertising y game que incluye las campañas de publicidad que promocionan productos y servicios a través de juegos.

Adware. Programa que durante su uso muestra publicidad en ventanas emergentes o en una barra en la pantalla. Práctica utilizada para subvencionar la aplicación.

Agujero de seguridad. Defectos del software que permiten a los hackers introducirse en sistemas informáticos ajenos.

Alcance. Importante métrica en analítica social media y web 2.0 que indica el número de personas a las que se llega, que han visto un mensaje. Puede producirse un alcance orgánico, personas que ven el contenido de forma directa, sin intermediación de otro usuario; o, un alcance viral, indica el número de personas que han visto el mensaje merced a que una tercera lo ha compartido.

Algoritmo. Fórmulas usadas por los buscadores para clasificar las páginas y los dominios.

Amenaza. Evento que puede desencadenar un incidente en el ordenador, produciendo daños materiales en los datos o afectando a su funcionamiento normal. Las amenazas pueden afectar a la integridad, confidencialidad o disponibilidad.

Anonoblog. Bitácora cuyos autores prefieren mantener el anonimato.

Antivirus. Aplicación cuya finalidad es la detección, bloqueo y eliminación de virus y otros códigos maliciosos.

App. Aplicación de software que se instala en dispositivos móviles y tabletas.

Astroturfing. Generación de comentarios en redes sociales favorables a una marca.

Autenticación. Proceso que comprueba la identidad de un usuario mediante las credenciales que introduce. Generalmente se realiza a través de un nombre de usuario y una contraseña.

Autorrefresco. Actualización de contenidos de una página web.

Avatar. Imagen gráfica que identifica a un usuario en la red.

Backdoor. Puerta trasera.

Banner. Término de gran aceptación en las redes sociales que alude a un formato de publicidad: anuncio flotante, botón o ventana emergente, entre otros.

Anuncio. Anglicismo que define un anuncio o animación publicitaria breve que incluye un enlace con el anunciante.

Blog *Roll.* Compilación de enlaces a blogs que se recomiendan a los lectores de la bitácora de la persona que recomienda.

Bot. Usuarios con perfiles no humanos que simulan actividad humana con el fin de promocionar un servicio o un producto.

Backup. Copia de seguridad.

BackType. Servicio que mide las reacciones generadas por los contenidos publicados en redes sociales.

Badge. Imagen, generalmente de forma cuadrada, que aparece en las bitácoras señalando la participación de sus autores en eventos.

Base de datos. Conjunto de datos almacenados en un servidor o un ordenador.

Benchmark. Puede emplearse como sustantivo, con el significado de punto de referencia, o verbo, con la significación de "comparar".

Beta. Versión de prueba de un programa.

Beta testers. Usuarios que prueban una versión de un programa.

Bit (*Binary digit*). Dígito binario. Mínima unidad de información que puede transmitir un ordenador. Puede tomar dos valores: 1 o 0.

Bit.ly. Servicio para acortar URL.

Bitcoin. Divisa electrónica para intercambio de bienes y servicios.

Bliki. Nombre originado por la combinación de "blog" y "wiki". Bitácoras editables por lectores o grupos de colaboradores.

Blip.TV. Sitio web para compartir vídeo en línea.

Blog (weblog). Bitácora. Sitio electrónico personal que se actualiza con frecuencia con temas personales o de actualidad. Incluye comentarios de los lectores.

Blog *Digest*. Bitácora formada por resúmenes publicados en otras bitácoras de la misma temática.

Blog *Post*. Unidad de publicación de una bitácora, puede incluir imágenes, vídeos y enlaces URL.

***Blogstorm* (Tormenta de blogs o *Blog swarm*).** Exposición de intereses y opiniones sobre un tema concreto mediante mensajes en la blogosfera.

***Blogosfera*.** Término referido al conjunto de blogs.

***Blogroll*.** Listado de enlace a bitácoras, normalmente presentado en un columna lateral.

***Blogtrip*.** Acción de comunicación centrada en blogueros influyentes, para que conozcan un producto o servicio y lo difundan en la Red.

Bloguear. Escribir en un blog.

Bloguero. Persona que escribe en un blog.

***Bluetooth*.** Transmisión de datos de manera inalámbrica de uso extendido en dispositivos móviles.

***Bookcrossing*.** Acción de dejar libros en lugares públicos para el disfrute de otras personas.

***Bookmarking* (marcador).** Localización almacenada de enlaces a páginas web para su lectura posterior.

***Box.net*.** Sistema de Cloud Computing que permite archivar documentos en un servidor de Internet y hacerlos accesibles a quienes el usuario decida.

***Bot*.** Aplicación que realiza tareas de forma automática. Programa malicioso que permite controlar el equipo que infecta.

***Botnet*.** Concepto que alude al conjunto de ordenadores (bots) infectados por un virus o gusano y que pueden ser controlados de forma remota por el atacante.

***Brand advocates*.** Embajadores de marca. Apasionados de una marca que ejercen gran influencia sobre la misma en sus círculos cercanos.

***Branding personal*.** Marca personal. Gestión de la imagen en la red en el ámbito de las relaciones profesionales.

***Brief*.** Informe, memoria.

***Búffer*.** Ubicación de memoria reservada al almacenamiento temporal.

***Bug*.** Defecto en el navegador o sistema operativo que es aprovechado por piratas informáticos para interceptar información privada, acceder a un ordenador de forma remota, etc.

Bulismo activo. Disposición que manifiesta el público adolescente a realizar acciones violentas, tipo cyberbullying.

***Bully*.** Matón, persona que intimida.

Buscador. Páginas web que buscan información en Internet.

Búsqueda facetada. Aquella que utiliza filtros por tipos de contenidos.

***Buzz*.** Término que significa sonido vibrante o murmullo de voces. Se representa con la imagen de una abeja.

***Buzzwords*.** Términos empleados en entornos directivos y técnicos con significado variable, poco convencional, empleado para impresionar a la audiencia.

Byte. Unidad de información compuesta de 8 bits.

Canal. Medio de difusión de contenido web.

Captura de pantalla (*screenshot*). Popularmente se conoce como "pantallazo". Imagen con el contenido de una pantalla del ordenador.

Carnaval. Evento que se realiza en línea y en el que varias personas reflexionan sobre un mismo tema a través de su blog.

Catfish. Persona que crea un perfil falso en redes sociales con fines poco amables.

Chat. Sistema de comunicación inmediata.

Chatbot. Programa de simulación de conversación humana.

Check lists. Listas de control o verificación de tareas.

Ciber-. Prefijo que acompaña, escrito como una sola palabra sin guión, a términos relacionados con el mundo digital.

Ciberataque. Agresión a través de las redes sociales.

Ciberresiliencia. Capacidad para resistir, proteger y defender el uso del ciberespacio de los atacantes.

Cíborg. Ser formado por una combinación de materia viva y dispositivos electrónicos.

Clic, *clicar,* *cliquear* **o hacer clic.** Presión realizada sobre los botones del ratón del ordenador. La versión cliquear es muy utilizada en países americanos.

Clickbait. Acción de provocar la presión sobre los enlaces con titulares llamativos o engañosos.

Clickthrough. Enlace publicitario que redirige a la web del anunciante.

Cloaking. Técnica ilícita que muestra distintos contenidos a buscador y usuario.

Cluster. Unidad de almacenamiento en disco con capacidad determinada.

Community **(comunidad virtual).** Grupos de personas, en torno a un interés común, que se comunican a través de Internet.

Content curator. Responsable, editor o gestor de contenidos. Ojeador de la Red.

Conversión. Término que hace referencia al instante en el que un usuario asume el papel de cliente, un suscriptor, un lead, etc. Acción de lograr que la audiencia actúe como se espera.

Cookies. Pequeños ficheros que las páginas web guardan en los equipos de los usuarios mientras están conectados, almacenando cierta información que mejora la navegación.

Coolhunter. Investigador social con gran capacidad de observación y análisis centrado en las tendencias que observa en el entorno.

Copyleft. Cesión de derechos en el entorno de Internet.

Crackers. Personas que rompen la seguridad de los sistemas informáticos con fines dañinos. También alude a los sujetos que modifican las funcionalidades de los programas.

Creative Commons. Licencia desarrollada por la ONG del mismo nombre, que facilita de forma gratuita.

Crowdsourcing **(externalización en masa).** Externalización de tareas a través de convocatoria abierta.

Cross-media. Sistema de narración que combina formatos tradicionales con los de los nuevos medios.

Crowdsourcing. Colaboración masiva. Neologismo que alude a la tendencia a generar grandes comunidades alrededor de un tema de interés.

Cyberbulling. Acoso a través de la Red.

Cybersquatter. Persona o empresa que compra dominios de marcas famosas, con la intención de ofrecérselas a las mismas a un precio elevado.

Dashboard (escritorio). Área de administración de una bitácora.

Del.icio.us. Servicio de gestión de marcadores en web.

Data Center. Centro de proceso de datos (CPD).

Demear. Enviar mensajes directos a usuarios de Twitter.

Desvirtualizar. Neologismo que designa la acción de conocer personalmente a un contacto de las redes sociales.

Diseño responsive. Técnica de diseño que pretende la perfecta visualización de una página web en distintos dispositivos electrónicos.

Dron. Vehículo aéreo no tripulado.

Drupal. Gestor de contenidos que permite la creación de un sitio web, actualizable y modificable.

Dummy. Personas novatas en la Red.

Eearly adopters. También llamados "innovators" o "technical enthusiasts". Consumidores prematuros. Compradores de los dispositivos más novedosos.

E-learning. Educación a distancia a través de la Red.

EdgeRank. Algoritmo empleado por Facebook para determinar qué contenido se expone en los muros.

Ego search. Información que una persona encuentra al introducir su nombre en Google.

Egosurfing. Búsqueda en Internet de menciones al nombre de uno.

Email (*electronic mail*). Correo electrónico. Si se utiliza como verbo, indica "enviar un mensaje electrónico" como sustantivo expresa "correo electrónico" o "dirección electrónica".

Emoji. Término japonés que designa los emoticonos o ideogramas que se usan en mensajería instantánea para teléfonos.

Emoticono. Símbolo o representación gráfica indicadora de estados de ánimo o incitadoras a la acción.

Encriptar. "Cifrar". El diccionario de la RAE lo define como "transcribir en guarismos, letras o símbolos, de acuerdo con una clave, un mensaje o texto cuyo contenido se quiere proteger".

Engagement. Grado de compromiso o vinculación entre el usuario de las redes sociales y la marca, organización, producto o actividad.

Etiqueta. Identificación de una persona o artículo en las redes sociales, o bien tema del que se habla o se busca información en Twitter.

Eyetracking. Tecnología de seguimiento ocular.

Fair use. Uso legítimo o razonable.

Fake. Mentira elaborada, objeto que es copia de otro. También hace referencia al archivo que otra persona renombra. Persona que se inscribe en una red social con un perfil falso con el objeto de molestar o bien de opinar abiertamente de forma anónima.

Fake Mail. Envío de correo electrónico con el remitente falseado.

Fan. Seguidores de una persona o empresa en Facebook.

Fan page. Páginas de Facebook que fomentan la marca y la promoción de empresas.

Favear. Marcar favoritos en Twitter.

Feed (web feed). Medio de redifusión de contenido web que suministra información actualizada a suscriptores.

Feedback. Retroalimentación. Implica que las salidas de un sistema, y su influencia en un contexto, retornan como recursos o información. Diálogo entre usuarios o entre usuarios y marcas.

Findability. Capacidad de localización en un entorno web de los contenidos digitales.

FireFox. Navegador de Internet.

Fish gape. Tendencia en los selfis de posar con la boca medianamente abierta en forma de círculo y mirada misteriosa, con la intención de aparentar un posado natural. Moda que contrasta con la tendencia *duck face*, postura muy estudiada, que simula dar un beso con los labio apretados, que ha dejado de protagonizar los autorretratos.

Flame. Mensaje de carácter ofensivo que se recibe mediante correo electrónico, chat, etc.

Flash. Programa de edición multimedia, entorno desarrollador.

Folksonomía. Labor de etiquetado individual de cualquier contenido digital para una recuperación en el tiempo.

Foursquare. Aplicación utilizada en redes sociales basada en la geolocalización web.

Followback. Técnica empleada para aumentar el número de seguidores. Empleada como etiqueta, se sigue a alguien con intención de que devuelva el follow.

Follower. Seguidor. Voz empleada en Twitter.

Following. Acción de seguir a un usuario en Twitter.

Foro. Servicio de Internet en el que se emiten opiniones sobre temas de discusión.

Fotoblog. Estructura similar a un blog convencional en el que la imagen es la publicación principal.

Frame. Cuadro o marco. Zonas rectangulares en las que se divide una página web, generalmente dos o tres.

Frape. Abreviatura de "Facebook rape". Alude a la acción de simular ser otra persona para publicar comentarios ofensivos en su muro.

Freebies. Pequeños detalles que se comparten por medio de las páginas web o los blogs.

Freemium. Servicio gratis, salvo extras que exigen pago.

Freeware. Programa informático gratuito para el usuario. También se conoce como un determinado tipo de licencia de distribución.

Friend. Persona con la que se ha establecido conexión en una red social. Otra acepción es el acto de realizar la conexión.

Friend Fee. Agregador en tiempo real que muestra las actualizaciones de noticias y permite crear hilos de conversación nuevos para compartir con amigos.

Friend list. Grupo organizado de amigos en Facebook.

Gadget. Dispositivo con una función y propósito específico que facilita el acceso a funciones de uso frecuente y provee de información visual.

Gamification. Técnica para conseguir elevar el involucramiento y mantenimiento de la audiencia a través de mecánicas de juego.

Geek. Persona fascinada por la tecnología y la informática.

Geoetiquetar. Acción de asignar las coordenadas geográficas a un contenido publicado en Internet.

Gomisear. Acción de retuitear de forma consecutiva tuits de un usuario con la intención de obtener seguidores.

Glasshole. Parodia del insulto "estúpido" (*asshole*). Define a una persona que habla continuamente de sus Google Glass (gafas de realidad aumentada desarrolladas por Google).

Google Buzz. Red social.

Grooming. Suplantación de identidades, adultos que se hacen pasar por menores de edad.

Groundswell. Efecto relativo a las tendencias de las personas a utilizar las tecnologías para comunicarse.

Group. Conjunto de usuarios en torno a intereses comunes.

Gusano. Programa informático que realiza copias propias que realoja en diferentes ubicaciones, provocando el colapso del ordenador.

Hackeo. Ataque a un sitio web.

Hacker. Persona con un conocimiento profundo de las redes a las que busca acceder, burlando la seguridad, con fines de protagonismo.

Hacking. Técnicas utilizadas por los piratas informáticos para cumplir sus objetivos.

Hangout. Herramienta que permite mantener conversaciones y video-conferencias entre 2 y 10 usuarios.

Hashtag. Etiqueta. Palabra clave, frase o grupo de caracteres alfanuméricos, empleada en Twitter. Se identifica con el símbolo #.

Hater. Persona que manifiesta odio, a algo o alguien, mostrando actitud negativa u hostil.

Heavy Users. Usuarios que dan un uso intensivo a Internet.

Hipertexto. Formato de texto que incluye enlaces a documentos.

Hipervínculo. Enlace.

Hipster. Tribu urbana con estética e intereses propios, que valora, entre otros, el pensamiento independiente, la política progresista, el arte, la creatividad y la inteligencia.

Hi5.com. Red social.

Hoax. Bulo o noticia falsa. Mensaje de correo electrónico enviado de forma masiva con la intención de hacer creer al receptor algo que es falso. La alerta de virus inexistentes es su manifestación habitual.

Home. Página de inicio o portada.

Hooligan. Persona fanática de un producto, servicio, marca o sujeto.

Hosting. Alojamiento del contenido de una página web en un servidor.

Hoygan. Neologísmo que designa al usuario de Internet que incumple las normas básicas de la ortografía.

Hub. Concentrador. Dispositivo usado en redes de área local.

Icono. Símbolo gráfico que aparece en la pantalla de un ordenador que representa una acción a realizar por el usuario.

Identiquit. Retrato robot.

Iger. Usuario activo de Instagram.

Impresiones. Número de veces que un anuncio, un *banner* o un *post* es visto por un usuario.

Indexar. Registrar datos e informes para la elaboración de un índice.

Influencer. Persona que tiene la capacidad de liderar la opinión en un sector o área de actividad, determinada por su autoridad y alcance.

Infoxicación. Síndrome de fatiga provocado por exceso de información.

Insider. Miembro de un grupo de acceso restringido. Otra acepción hace referencia a la persona de una organización que provoca fugas de información.

Instagramer. Usuario influyente de Instagram que se convierte en prescriptor, imagen de marca.

Interfaz. Conexión física y funcional entre dos aparatos. Otro significado es comunicación de un sistema con un usuario.

Internauta. Neologismo formado con Internet y nauta que describe al usuario de Internet.

Key influencers. Admiradores influyentes con amplias comunidades en redes sociales cuyos mensajes son muy compartidos o comentados.

Keyword. Palabra clave en un mensaje o texto.

Klout. Índice *Klout Score* que mide la influencia o relevancia de una persona en las redes sociales.

Knowmad. Perfil del profesional llamado también "nómada del conocimiento". Se refiere a una persona creativa e innovadora que puede trabajar en cualquier momento, sujeto o lugar.

Landing Page. Página de entrada a la que se accede tras hacer clic en un enlace.

Laptop. Ordenador portátil.

Late adopters. Usuarios que agotan las utilidades de sus dispositivos.

Layout. Pantalla común para las páginas de un mismo sitio web. Disposición de los elementos en un diseño.

Lead. Primer párrafo de un texto que describe la idea básica que contiene. Otra acepción es: contacto que deja sus datos en un sitio web para recibir información sobre un producto, un presupuesto, etc. También recibe esa denominación, aunque no es recomendable su empleo, un contacto que no ha manifestado interés expreso en recibir información.

Leak. Escape, filtración de información.

Lifehacking. Estrategia destinada a administrar el tiempo y las actividades de forma eficiente.

Likability. Exaltación del "Me gusta". Término que no goza de aceptación generalizada.

Like. Expresión de la conformidad con un comentario ajeno y/o afinidad con la página de una empresa.

Linkbaiting. Técnica que consiste en generar contenidos de calidad, principalmente en el blog, para ganar lectores.

LinkedIn. Red social con una orientación profesional.

Listas. Listados de personas, por temas de interés, a las que se siguen con la intención de leer sus tuits. Grupos para clasificar perfiles.

Live-streaming. Transmisiones en vivo.

Lobbying. Actividades de personas, grupos o asociaciones realizadas con la intención de intervenir en el proceso de toma de decisiones de organizaciones.

Login/logon. Acceso al sistema, inicio de sesión o identificación, según corresponda. Sinónimo de *sign in*.

Lurker. Personas con una participación receptiva en las comunidades virtuales.

Mailing. Buzoneo.

Mailing list. Lista de envío, fichero de direcciones o directorio, en función del contexto en el que se emplee.

Mainstream (Corriente principal). Pensamientos, preferencias o gustos que predominan en un determinado momento en una sociedad.

Manifiesto Cluetrain. Documento, nacido en 1999 y escrito por Rick Levine, Christopher Locke, Doc Searls y David Weinberger, compuesto por 95 principios en los que se analiza el impacto de Internet en organizaciones y consumidores.

Malware (malicious software). Programa maligno cuyo objetivo es utilizar parte de la memoria del ordenador para fines dañinos. Suelen actuar amparados por programas que cumplen una función positiva.

Marcador. Sinónimo de "favorito". Enlace fijo a una página web, predilecta, que se consulta con frecuencia guardada en el navegador.

Mashup. Aplicación que combina contenido de varias fuentes. Se caracteriza por la combinación, la visualización y la agregación.

Mass media. Medios de comunicación o difusión.

Meme. Término creado por Richard Dawkins que describe un fenómeno de Internet que representa una forma de propagación cultural, generalmente en forma de transmisión viral y en un período breve de un texto o imagen generalmente de carácter humorístico.

Mencionar. Nombrar a un seguidor, empleando @ seguido del nombre de usuario, para indicarle que se cita un artículo o para hacerle partícipe de una información.

Messenger. Programa de mensajería instantánea.

Microblogging. Servicio de envío y publicación de mensajes breves.

Microblog. Medio de difusión similar a un blog, con entradas y artículos reducidos.

Millennials. Generación del Milenio o Generación Y, formada por jóvenes cualificados usuarios de la tecnología, que alcanzaron la edad adulta a principios del siglo XXI.

Minimazión. Breve animación de entre cinco o diez segundos de duración.

Mirroring. Función que permite reflejar el dispositivo de una pantalla en otro distinto (monitor, televisión...).

Monitorizar. Proceso automático que recaba información sobre un tema que interesa conocer y medir.

Monguer. Usuario de Twitter que expande rumores maliciosos en la Red.

Morphing. Práctica que consiste en realizar un montaje fotográfico de alto contenido sexual a partir de una foto que un sujeto cuelga en Internet.

Multitasking. Habilidad personal, centrada en un entorno profesional, que alude a la capacidad de realizar varias tareas o desafíos diferentes.

Nethunter. Reclutador laboral en las redes sociales.

Networking. **Hacer contactos.** Conocimiento o establecimiento de lazos con otras personas, fundamentalmente con fines comerciales o profesionales.

News Feeder. Alimentador de noticias.

Newsletter. Boletín electrónico. Boletín informativo que se envía de forma periódica por correo electrónico a los suscriptores de un servicio, socios de una organización o clientes de una empresa.

Nick. Apodo o seudónimo.

Nomofobia. Miedo a no estar conectado de forma permanente a través del teléfono móvil.

Notificación. Aviso de mención por parte de otro usuario en una red social.

Offline. Desconectado. Sin conexión con la red de datos a la que se conecta un usuario o un aparato. También se utiliza para referirse a contactos o relaciones ajenos a las redes sociales y blogs.

Off-topic. Contribuciones que no guardan relación directa con la discusión que originó el tema. Empleado en las listas de correo, grupos de noticias, foros de discusión y *wikis*.

Online. Conectado, en línea, digital o electrónico según el contexto en el que se utilice. Igualmente, indica disponibilidad a través de Internet, y estar conectado a una red de comunicación o de datos.

Ontología. Sistema de representación del conocimiento.

Open Data. Datos abiertos. Datos de distribución libre.

Orkut. Red social.

Outsider. Persona ajena a una organización, a la que accede averiguando las contraseñas de acceso, con el objetivo de provocar fugas de información.

Outsourcing. Proceso mediante el cual una empresa externaliza su actividad.

Pantallazo. Captura de pantalla de un ordenador.

Partenariado. Asociación o cooperación.

Password. Contraseña, código de seguridad, clave personal o de acceso.

Perfil. Descripción del titular con información relevante y avatar.

Perks. Premios, en forma de productos, promociones o descuentos, obtenidos por la influencia de un usuario de Klout.

Personal branding. Marca Personal. Concepto de desarrollo personal que analiza al individuo como marca.

Phishing/Phisking Scam. Fraude por Internet, delito informático o mensaje electrónico fraudulento. Técnica engañosa utilizada para captar datos privados de los usuarios.

Photosharing. Plataformas de Internet donde se comparten fotografías.

Phubbing. Efecto de ignorar a nuestros acompañantes en beneficio del dispositivo móvil.

Plantilla. Formato prediseñado con diferentes estilos visuales para la maquetación en Internet.

Plataforma. Combinación de equipo informático, programas y sistema operativo.

Plugin. Término que hace referencia a dos conceptos diferentes. Por un lado, complemento presente en un navegador web, imprescindible para visualizar o ejecutar material multimedia. Por otro, accesorios que incrementan las funciones del navegador.

Podcast. Archivos sonoros, distribuidos a través de Internet, almacenables en reproductores digitales.

Poetuit. Tuit expresivo de un sentimiento.

Pop-up. Ventana emergente. Ventanas que surgen de forma imprevista en el navegador web, que suelen mostrar anuncios publicitarios.

Pop-up store. Tienda efímera con fecha de caducidad.

Post. Artículo o entrada que se publica en un blog o en el historial de una red social.

Posting. Envío de un mensaje a un grupo de noticias o tablón de anuncios electrónico.

Postmaster. Administrador de correos.

Prosumer. También conocido como prosumidor. Consumidor y productor/profesional a la vez.

Prototipo virtual. Boceto de un proyecto web.

Puntocoms. Empresas que desarrollan su actividad principal en Internet.

Query. Consulta que se realiza en una base de datos o en un buscador.

Quid. Esencia o punto clave.

Reach. Difusión, alcance. Porcentaje de usuario de la Red, que visita un sitio concreto en un período determinado.

Rebote. Información numérica del número de usuarios que ha entrado brevemente en una página web.

Reciprocidad. Seguir a usuarios que siguen a uno.

Red social. Servicios de Internet que facilitan la relación y la comunicación entre personas.

Repositorio. Depósito de objetos digitales con el objetivo de preservar la información y difundirla.

Reputación digital. Imagen que una persona, empresa, marca, producto o servicio tiene en Internet.

Rol. Función o papel que cumple una persona o un objeto.

Router. Encaminador. Direccionador o enrutador. Aparato que conecta redes informáticas y orienta paquetes de datos.

Scam. Sitio web modificado con fines maliciosos.

Scanning. Lectura por rastreo.

Screencast. Video en el que se capturan imágenes de la pantalla, pueden ir acompañadas de la voz de un narrador.

Screenshot. Captura de pantalla.

Seguidor. Persona que se suscribe a los comentarios realizados por otra. En Twitter, follower.

Seguir. Suscribirse a los comentarios realizados por otros sujetos. En Twitter, *follow*. Lo contrario, anular la suscripción, *unfollow*.

Selfi. Moda de autorretratarse con el móvil. Imagen tomada por uno mismo con la intención de subirla a las redes sociales.

SEO Black Hat. Conjunto de técnicas ilegales usadas para promocionar páginas webs en los buscadores.

Sesión. Tiempo que pasa desde que un usuario accede a un sistema hasta que sale del mismo, mediante su desconexión.

Sexting. Envío, a través del teléfono, de contenido de índole sexual producido por el remitente.

Showrooming. Práctica consistente en conocer y probar un producto en un espacio físico y proceder a su compra a través de un canal digital.

Skimming. Ojear. Técnica que consiste en echar un vistazo rápido a los contenidos.

Skype. Aplicación que permite hacer comunicaciones de texto, voz y video a través del ordenador, mediante conexión a Internet.

Síndrome "cupcake". Metáfora relativa a la conversión de un producto sencillo en uno codiciado y atractivo.

Slang. Lenguaje coloquial utilizado por un grupo o colectividad.

Slideshare. Sitio web que permite a los usuarios la posibilidad de compartir contenidos en diferentes formatos.

Smartphone. Móvil inteligente que incluye aplicaciones que permiten el procesamiento de datos y la conexión a Internet.

Snippet. Descripción que acompaña a los resultados de las búsquedas.

Social Networks. Personas que mantienen una amplia red de contactos y una fuerte marca digital.

Software. Conjunto de programas, instrucciones y pautas que realiza tareas en un sistema informático.

Spam. Correo no deseado o correo basura. Mensajes de correo electrónico, de carácter mayoritariamente publicitario, que se reciben de forma masiva sin solicitud previa.

Spammer. Persona que hace spam. Usuario que promociona mensajes publicitarios.

Spyware (spy software). Programa informático espía con objetivos dañinos que opera encubierto por otro programa que cumple una función positiva.

Spoilear. Revelar el final de una película o de una serie de televisión.

Spotify. Plataforma musical.

Stakeholder. Relación de personas o entidades relacionadas con una actividad empresarial, con influjo en sus resultados.

Stalkers. Acosadores en redes sociales.

Stalkear. Acechar, husmear, espiar. Persona que espía, o vigila, en las redes sociales.

Staycation. Concepto, nacido a raíz de la falta de recursos provocado por la crisis económica, indicativo del disfrute vacacional en el hogar.

Stickers. Ilustraciones o animaciones de personajes.

Storytelling. Forma de comunicación y técnica narrativa que narra las ideas o mensajes en forma de historia.

Start up. Empresa emergente.

Streaming. Transferencia de una señal en directo que permite su visualización a medida que se produce.

Suscriptor. Usuarios de una marca a la que ceden sus datos mediante registro y consentimiento en la recepción de información sobre la misma.

Tableta (*tablet*). Computadoras portátiles con tecnología táctil.

Tagline. Subtítulo de un sitio web que facilita información sobre el contenido que incluye.

Target. Receptor de mensajes persuasivos. Público o mercado objetivo.

Targeted. Dirigido, personalizado.

Taxonomía. Clasificación empleada en la organización y representación de contenidos. En sentido general, ciencia de la clasificación.

Texting. Acción de enviar mensajes de texto cortos.

Timeline. Disposición cronológica de comentarios o escenas.

Topics. Tópicos. Temas que interesan y apasionan a los usuarios.

Tráfico web. Datos de los visitantes de un sitio web.

Transmedia. Convergencia entre medios o formatos.

Trigger words. Palabras representativas de un texto.

Trol. Alborotador, persona que insulta, molesta o causa polémica en foros cibernéticos.

Trolear. Creación de confusión en chats y redes sociales.

Trolling. Acción de trolear. Publicación de comentarios despectivos o incendiarios con la intención de provocar reacciones en usuarios de blogs, foros, etc.

Troyano. Tipo de virus que se introduce en el equipo infectado, como programa benigno, para permitir su control remoto.

Trending Topic (tt). Tema del momento en Twitter, términos comentados que crean tendencia.

Tuit. Mensaje de un máximo de 140 caracteres en Twitter.

Tuitear. Acción de escribir un texto en Twitter.

Tuiterentrevista. Entrevista colaborativa realizada a través de Twitter, que utiliza una etiqueta común para preguntas y respuestas.

Tuiteo. Mensaje enviado en Twitter.

Tuitero. Usuario de Twitter.

Tuitstar. Twitstar. Persona célebre o influyente, con muchos seguidores y pocas personas a seguir.

Twitter. Red social basada en el microblogging.

Tweetup. Término coloquial referido a un "encuentro tuitero" de usuarios en Twitter. "Quedada" se emplea como alusión a la reunión, física o digital, de miembros de la red social Google+.

Twerk. Movimiento consistente en girar rítmicamente las extremidades inferiores. Alcanzar la excitación sexual o arrancar carcajadas son sus objetivos. La expresión "perrear" la define popularmente.

Usabilidad. Facilidad con que las personas pueden utilizar una aplicación o herramienta. Otro significado alude a los principios que sustentan la eficacia de un objeto.

User agent. Aplicaciones informáticas que acceden a la World Wide Web.

Vía. Habitualmente se utiliza para referirse a usuarios de Twitter. Indica la fuente de procedencia de una información denotando el origen del mensaje. Su presencia habitual es a final del mensaje. Palabra similar a RT. También se usa para especificar una fuente externa sin cuenta en Twitter.

Videoblog. Galería de videos publicados por sus autores y ordenada cronológicamente.

Videocast. Transmisión de un video por Internet.

Viral. Contenido que se propaga rápidamente por las redes sociales.

Viralidad. Capacidad de reproducción y expansión de una acción, un contenido, etc.

Virus. Programa que se reproduce automáticamente con la intención de provocar daños en los archivos y sistemas.

Unfollow. En Twitter, acción de dejar de seguir a un usuario.

Unfriend. Sinónimo de *unfollow* de uso habitual en Facebook.

War rooms. (Cuarto de guerra). Especialistas en comunicación política que desarrollan tácticas y estrategias.

Weareable. Dispositivos electrónicos que se "visten" como prenda o complemento: teléfonos y gafas inteligentes, zapatillas con sistemas de posicionamiento global, etc.

Webcast. Transmisión en video por Internet en directo.

Webinario. (Merriam-Webster). Seminario web. Transmisión de carácter educativo, transmitida en directo a través de Internet.

Webrooming. Proceso mediante el cual un comprador conoce un producto en espacios virtuales, pero realiza la compra en una tienda física.

Wasapear. Enviar mensajes a través de WhatsApp, sistema de mensajería instantánea.

White hat (Práctica del sombrero blanco). Acciones aceptadas por los buscadores que buscan aumentar el posicionamiento de una página web.

Wiki. Sitio web colaborativo editado por múltiples usuarios.

Widget. Aplicación cuyo principal objetivo es dar acceso a funciones utilizadas con frecuencia y la provisión de información visual.

Workaholic. Término que define a las personas que tienen adicción al trabajo.

Zoom. Acercar o alejar un objeto, referido a las nuevas tecnologías.

ABREVIATURAS Y ACRÓNIMOS DE INTERNET

Facilidad, comodidad y rapidez caracterizan a las formas de escritura electrónica que incluyen la utilización de abreviaturas y acrónimos. Conocerlos facilita la comunicación eficaz en un entorno digital.

ADS *(Advertising)*. Publicidad.

AFK *(Away From Keyboard)*. Indica que el usuario no está delante del teclado, habitual en sesiones de chat, al igual que BRB.

AI *(Artificial Intelligence)*. Arquitectura de la información. Rama de la informática que investiga la simulación de inteligencia en programas de computación.

AOL *(America On Line)*. Principal proveedor de servicios de Internet de Estados Unidos.

API *(Application Programing Interface)*. Protocolo de programación para la comunicación con un software concreto. Programa o código para crear otros programas.

ASCII *(American Standard Code for Information Interchange)*. Normativa por la cual se estandariza la codificación de caracteres alfanuméricos. Código utilizado por los ordenadores para representar los caracteres más habituales: letras, números, signos de puntuación o caracteres de control.

BB. Blackberry.

B/C *(Because)*. Porque.

BIOS *(Basic Input/Output System)*. Primer programa que se ejecuta al encender un ordenador, imprescindible para el correcto funcionamiento del equipo.

BFN *(Bye for now)*. Hasta luego.

BRB *(Be Right Back)*. Ahora vuelvo. Notificación de ausencia momentánea destinada a las personas con las que se mantiene una comunicación.

CC *(Carbon copy)*. Con copia. Norma de etiqueta, empleada en los correos electrónicos y en Twitter, para diferenciar al destinatario principal de otros sujetos men- cionados.

CM *(Community Manager)*. Persona que maneja la reputación de una marca en las redes sociales.

CME. Comunicación por medios electrónicos.

CPA *(Coste por Acción)*. Medición de los costes de una campaña publicitaria online.

CPC *(Coste por impresión)*. Cantidad de dinero que un anunciante abona cada vez que un usuario hace clic sobre su anuncio.

CRM *(Customer Relationship Management)*. Modelo de gestión de relación con un cliente.

CSS *(Cascading Style Sheet)*. Elemento del lenguaje HTML.

CTA *(Call to Action)*. Invitación a un usuario para realizar una acción concreta.

CTR *(Click Through Rate)*. Razón entre las visitas que recibe un anuncio y las impresiones que muestra.

DM *(Direct Message)*. Mensaje directo o mensaje privado, solo visible para el emisor y el receptor del mismo. Su versión en castellano es MD.

DSI. Difusión selectiva de la información.

DKIM *(DomainKeys Identified Emails)*. Tecnología orientada a la autenticación de correos electrónicos.

EM. *E-mail*. Correo electrónico.

EN. *(English)*. Abreviatura de la lengua inglesa, escrita entre paréntesis o corchetes, incluida en los enlaces referenciados en un tuit.

FA *(Follow Always)*. Seguir siempre. Etiqueta empleada en Twitter, alternativa a FF.

FB. Abreviatura de Facebook.

FF *(Follow Friday)*. Etiqueta usada en Twitter, tradicional de los viernes, en la que se recomienda las cuentas más interesantes de la semana, para su seguimiento o conocimiento.

FOMO *(Fear of missing out)*. Ansiedad que se manifiesta cuando se está desconectado, provocada por el temor social a ser excluido.

FTF *(Face to face)*. Cara a cara.

FYI *(For your information)*. Para tu información. De utilización mayoritaria en el correo electrónico.

GIF *(Graphics Interchange Format)*. Formato gráfico utilizado en la Web para imágenes y animaciones. Iconos gráficos estáticos y dinámicos.

GTG *(Got To Go)*. Me tengo que ir. Expresión habitual, utilizada en chats y en Twitter, para poner fin a una conversación.

HT *(Hat Tip)*. Saludo de reconocimiento atribución de una autoría (forma alternativa a "vía").

HTH *(Hope that helps)*. Espero que sirva de ayuda. Utilizado para responder a una duda o consulta de otro usuario.

HTML *(Hypertext Markup Language)*. Lenguaje de marcado que permite describir la estructura y la forma de un texto.

HTTP. *(HyperText Transfer Protocol)*. Lenguaje habitual para intercambiar información en la web.

ICYMI *(In case you missed it)*. En caso de que lo hayas olvidado. Suele acompañar a mensajes enviados en el pasado.

ID. Identificación.

IMAP. *(Internet Message Access Protocol)*. Protocolo de Acceso a Mensajes de Internet.

IMO *(In my opinion)*. En mi opinión.

IN. Etiqueta (#in) que logra, si se tiene las cuentas enlazadas, que un tuit figure en la actualización del estado en LinkedIn.

IP. **Iphone.** También alude a un código numérico que reconoce un ordenador conectado a Internet.

IRL *(In real life)*. En la vida real.

JK *(Just kidding)*. Indica que el usuario está bromeando. El emoticono del guiño goza de comprensión más generalizada.

JPEG *(Join Photographic Experts Group)*. Formato de compresión de imagen de alta calidad.

KISS *(Kiss it simple, stupid)*. Principio que defiende la sencillez.

KPI *(Key Performance Indicator)*. Indicadores claves del desempeño. Herramientas de medición del rendimiento de una campaña de marketing.

LI. Abreviatura de LinkedIn.

LMAO *(Laughing My Ass Off)*. Partirse de risa. Recomendable únicamente en un contexto muy informal.

LMLT *(Look my last tweet)*. Mira mi último mensaje.

LOL *(Laughing Out Loud)*. "Reírse a carcajadas". Recomendada su expresión en un contexto coloquial o informal.

MDA. *(Mail Delivery Agent)*. Agente de Entrega de Correo.

MOOC *(Massive Open Online Course)*. Cursos en línea masivos y abiertos. Alude a una filosofía del aprendizaje abierta y gratuita, basada en proyectos colaborativos que cuentan con fecha de inicio y finalización.

MRT *(Modified Re-Tweet)*. En Twitter, equivalente a MT.

MT *(Modified tweet)*. Tuit modificado. Revela cambios en el contenido original de un tuit por cuestiones de extensión, interés o atracción, sin variar de forma esencial el contenido del mensaje original, ni su autor. Se considera una alternativa al RT.

Enmarcado en un chat o en un juego en línea, puede indicar que el texto que se acaba de escribir es erróneo, está mal escrito o se ha mandado por un canal equivocado.

MTA. *(Mail Transport Agent)*. Agente de Transporte de Correo.

NP. Ningún problema.

NSFW *(Not Suitable For Work/Not Safe For Work)*. Contenido al que no es recomendable acceder desde el puesto de trabajo, porque puede ser visualizado o escuchado por todos los presentes, o bien, incluir un contenido poco recomendable.

OAI *(Open Archives Initiative)*. Nueva forma de publicación digital, que ofrece un tratamiento de la información en abierto.

OH *(Over Head)*. Escuchado como rumor.

OMG *(Oh my God/Oh my Gosh)*. Exclamación de asombro, habitual en contextos coloquiales.

OMW *(On my way)*. Estoy en camino.

OOTD. *(Outfit of the Day)*. Atuendo del día.

ORM *(Online Reputation Management)*. Gestión de la reputación online.

PDF *(Portable Document Format)*. Formato de texto creado por Adobe. Se suele colocar entre paréntesis o corchetes, antes de un enlace, para indicar el formato.

Pls/Plz. Abreviatura tradicional de "please" por favor. Habitual en juegos en línea y chats.

PlsRT *(Please, Re-Tweet)*. Por favor retuitear. Solicitud para que retuiten una entrada.

PM *(Private Message)*. Mensaje privado. Twitter recomienda la utilización de la abreviatura DM.

PNG. Formato de imagen GIF mejorado.

POP3. *(Post Office Protocolo)*. Protocolo de Oficina de Correo.

PPC *(Pay per Click)*. Sistema de publicidad en el que se paga en función del número de ocasiones en que haya sido visto un anuncio, mediante pulsación sobre el mismo.

PRT *(Partial Re-Tweet)*. Alude a un tuit acortado por el usuario por razones de espacio. Suele aparecer como pRT al principio del tuit.

PS. Abreviatura de Play Station.

P2P *(Peer to Peer)*. Conexión informática entre dos computadoras a través de Internet.

QOTD *(Quote of the day)*. Frase del día.

QT *(Quote Tweet)*. Expresión que indica que se usa un fragmento de una frase.

QR. Código QR. Sistema de almacenamiento de información de última generación.

RL *(Real Life)*. Abreviatura de uso frecuente en las redes sociales que describe el entorno físico como vida real.

ROFL *(Rolling On Floor Laughing)*. Versión ampliada de LOL. Revolcarse por el suelo de risa.

ROFLMAO *(Rolling On Floor Laughing My Ass Off)*. Superlativo vulgar de ROFL.

ROI. Retorno de inversion.

RPG *(Role Playing Game)*. Juego del género rol.

RSS *(Really Simple Syndication)*. Fuente de información de una página web a disposición de los suscriptores.

RT *(Re-Tweet)*. Repetir o retuitear algo. Manifiesta un deseo de compartir algo considerado interesante o relevante. Su representación gráfica es el icono del reciclaje.

RThx. Abreviatura contraída utilizada para dar las gracias por un retuit, habitual en países anglosajones.

RTRL *(Re-Tweet Real Life)*. Abreviatura habitual en Twitter. Se aplica cuando se hace un RT de algo escuchado en el entorno físico. Narración a través de un tuit de sucesos de la vida diaria.

SCRM. *(Social Customer Relation Management)*. Estrategia profesional enfocada al cliente y su involucración en un negocio beneficioso.

SEM *(Search Engine Marketing)*. Acciones destinadas a mejorar la visibilidad y posicionamiento de una página web, a través de campañas de pago.

SEO *(Search Engine Optimization)*. Proceso de mejora en el posicionamiento de una página web en los motores de búsqueda.

SERP *(Search Engine Results Pages)*. Páginas de resultados proporcionadas por los buscadores.

SMM *(Social Media Marketing)*. Utilización de las redes sociales para la difusión de mensajes y contenidos mediante el marketing o la publicidad viral.

SMO *(Social Media Optimization)*. Estrategia global de marketing y publicidad con el fin de potenciar un producto, un servicio o una actividad.

SMS *(Short Message System)*. Tecnología de intercambio de mensajes de menos de 160 caracteres.

SMTP. *(Simple Mail Transfer Protocolo)*. Protocolo Simple de Transferencia de Correo.

SOV *(Share of Voice)*. Número de conversaciones relativas a una marca, en un período de tiempo y sector concretos.

SPF *(Sender Policy Framework)*. Registro que previene la suplantación de identidad.

TAP. Tecnologías para el aprendizaje y el conocimiento.

TEP. Tecnologías para el empoderamiento y la participación.

Thx. Abreviatura de thanks, gracias. Utilizada en conversaciones de chat y actualizaciones de estado.

TIC. Tecnologías de la información y la comunicación.

TFF *(Twitter Follower)*. Relación entre las personas a las que se sigue y los seguidores.

TKS *(Thanks)*. Gracias.

TL *(Timeline)*. Sucesión de mensajes, actualizaciones de estado o contenidos que se pueden ver en una red social.

TMB *(Tweet Me Back)*. Solicitud de contestación o repuesta a un tuit.

TMI *(Too much information)*. Demasiada información.

ToS. Condiciones o términos de servicio. Cláusulas que describen las condiciones de utilización de un servicio concreto, determinando las responsabilidades del usuario y las obligaciones del prestatario.

TRM *(Talent Relationship Management)*. Gestión de relaciones con talento. Alude a las políticas de gestión de relaciones con los clientes.

TT *(Trending Topic)*. Tema del momento en Twitter. Hace referencia a los términos más comentados por los usuarios de la red social.

TY *(Thank you)*. Gracias.

TW. Abreviatura de Twitter.

UGC *(User Generated Content)/ CGM (Consumer Generated Media)/UCC (User Created Content)*. Contenido multimedia generado o distribuido por los usuarios, con independencia de su autoría, a través de Internet.

URL *(Uniform Resource Locator)*. Nombre que asigna una dirección única a cada uno de los recursos disponibles en Internet.

VoIP *(Voice over Internet Protocolo)*. Tecnología que permite establecer conversaciones telefónicas en una red IP.

UX *(User experience)*. Experiencia de usuario. Enfoque para el desarrollo de productos interactivos.

XD. Emoticono representado por unos ojos cerrados, la X, y una boca abierta, la D, representa una carcajada. De uso frecuente entre jóvenes en chats y juegos online.

XML *(Extensible Markup Language)*. Lenguaje que estructura la informacación en cualquier documento de texto.

YT. Abreviatura de You Tube.

WHP. *(Weekend Hashtag Project)*. Etiqueta oficial de Instagram empleada para concursos realizados los fines de semana.

WoM *(Word of mouth)*. Boca a boca. Hace referencia a la transmisión espontánea, no manipulada por influencias externas, de un mensaje por las recomendaciones que se producen entre los usuarios. Le caracteriza gran capacidad de difusión y credibilidad. Habitual leer eWOM. Boca a boca electrónico.

WOW. Abreviación del juego en linea World of Warcraft.

WTF *(What The Fuck)*. Expresión a la que se recurre cuando se quiere evitar escribir una palabra malsonante, o como expresión de sorpresa ante algo inesperado.

+1, +10, +100. Representación de apoyo explícito al contenido o texto que antecede. En Twitter indica un reconocimiento al contenido de un mensaje. En Google+ recomienda un contenido o reconoce un interés. De igual significación que "Me gusta" en Facebook. También es habitual añadir ceros al "+1" para enfatizar el apoyo, como "+1000", o incluir caracteres que representan un emoticono para expresar un sentimiento.

+K. Puntos que se reciben y otorgan a usuarios y contactos, como reconocimiento a su influencia en las redes sociales, que ayudan a elevar el índice Klout.

@ *(at)*. A la atención de/en. En Twitter, delante de un tuit alude a una mención. Si se coloca un punto o letra delante de la arroba se logra que el mensaje lo vean todos los usuarios.